EL NIÑO Y SU MUNDO

Cómo desarrollar la autoestima de tu hijo

Silvana Clark

ONIRO

Título original: *Parent-Tested Ways to Grow Your Childs Confidence*
Publicado en inglés por Meadowbrook Press

Traducción de Joan Carles Guix

Ilustración de cubierta: Jone Hallmark

Distribución exclusiva:
Ediciones Paidós Ibérica, S.A.
Mariano Cubí 92 - 08021 Barcelona - España
Editorial Paidós, S.A.I.C.F.
Defensa 599 - 1065 Buenos Aires - Argentina
Editorial Paidós Mexicana, S.A.
Rubén Darío 118, col. Moderna - 03510 México D.F. - México

© 2003 exclusivo de todas las ediciones en lengua española:
Ediciones Oniro, S.A.
Muntaner 261, 3.º 2.ª - 08021 Barcelona - España
(oniro@edicionesoniro.com - www.edicionesoniro.com)

ISBN: 84-9754-045-X
Depósito legal: B-47.068-2002

Impreso en Hurope, S.L.
Lima, 3 bis - 08030 Barcelona

Impreso en España - *Printed in Spain*

Índice

Dedicatoria

Este libro está dedicado a mis dos hijas, Trina y Sondra –ambas gozan de un buen nivel de confianza en sí mismas–, y también a todos los niños que pudieran necesitar apoyo.

Agradecimientos

Gracias muy especialmente a las mamás y papás «expertos» que han dado a conocer sus experiencias en este libro. He disfrutado hablando con vosotros en los cursillos a lo largo de los años y he apreciado la generosidad con la que habéis compartido vuestros métodos de ayudar a los niños a desarrollar confianza en sí mismos. También quiero dar las gracias a mi agente, Linda Konner, que siempre ha respondido con urgencia a mis e-mails y nunca me ha hecho sentir inoportuna. Por último, me gustaría dar las gracias al personal de Meadowbrook Press, que abordó cada fase del proceso de producción de una forma muy profesional. Vaya también mi agradecimiento para Steve Linders, que sobrellevó con gran paciencia mis largas llamadas telefónicas. ¡Gracias a todos!

Introducción

No hace mucho compré un paquete de semillas de flores silvestres tras quedar maravillada por las fotografías a todo color de la cubierta. Las instrucciones decían: «Vierta estas semillas en el suelo y riéguelas. En pocas semanas dispondrá de un exuberante jardín repleto de una amplia variedad de flores silvestres de mil colores». Era mi primer intento en jardinería, de manera que esparcí las semillas y las rocié con agua. Pasó una semana, pero todo seguía igual. Pasó otra semana y el suelo seguía sucio y con malas hierbas. A las cinco semanas me di cuenta de que mi exuberante jardín de flores silvestres no iba a hacerse realidad.

Me quejé a una amiga experta en jardinería, la cual procedió a explicarme en qué consistía la tarea de cultivar un jardín de flores. Quedé asombrada cuando destacó la importancia de preparar la tierra, controlar las plagas, seleccionar las semillas según la cantidad de insolación disponible, etc. En efecto, con ella descubrí que la jardinería requiere tiempo y esfuerzo, pero también me recordó que las recompensas merecen la pena.

Los niños también necesitan una gran cantidad de tiempo y esfuerzo para ayudarlos a que adquieran conciencia de su potencial. Como padres y cuidadores, tenemos la enorme responsabilidad de ayudar a los niños a desarrollar una perspectiva sana de la vida. Los horticultores de éxito deciden con cuidado dónde plantar sus tomates, y los padres deben reflexionar detenidamente para aplicar métodos que fomenten la autoconfianza de sus hijos. Por ejemplo, si tu hija va a presentarse a una prueba para una obra de teatro de la escuela, podrías sugerirle algún juego de rol que la ayudara a comprender lo que supone estar delante de un público y recitar unos versos en voz alta y clara; si tu hijo tiene un espíritu sensible, podrías relatar a la abuela en su presencia la amistad que ha entablado con el niño nuevo de la escuela.

Como conferenciante profesional, disfruto del privilegio de reunirme con padres de todo el mundo, que comparten formas excepcionalmente creativas de ayudar a los niños a adquirir confianza en sí mismos. Siempre me cuentan lo que les ha dado buenos resultados –¡y lo que no!–. Nos reímos juntos de algunas técnicas bienintencionadas que han constituido un estruendoso fracaso. Un padre contó la historia de un complicadísimo proceso de siete fases que había aprendido en una conferencia. ¡Como es natural, el conferenciante no tenía hijos! Prefiero centrarme en estrategias probadas que han dado resultados positivos a los verdaderos expertos: los padres. Oirás hablar de mamás y papás que afrontan sus primeras experiencias con un niño de dos años en casa, así como de otros padres más experimentados que ahora están trabajando con presos en San Quintín. Ha sido un placer para mí escuchar sus historias en el transcurso de los años; así que espero que resulten igualmente inspiradoras para ti.

Silvana

Hablar estimulando

Frase especial

Desarrolla una frase especial para tu hijo a fin de que podáis compartirla. Repítesela con regularidad para que el niño se sienta exclusivo.

Desde que mi hijo tenía dos años, lo arropaba por la noche y le decía: «Eres el mejor hijo que he tenido». A los cuatro años, solía responder: «Mamá, soy el único hijo que has tenido». Y yo replicaba: «Aunque tuviera cien hijos, seguirías siendo el mejor». Hoy mi hijo tiene veinticuatro años, y aún le sigo diciendo: «¡Eres el mejor hijo que he tenido!».

Catherine Jewell, educadora y conferenciante

Reafirmación positiva

Cuando tus hijos hacen algo encomiable, cuéntaselo
a alguien y procura que lo oigan mientras lo haces.
«Fue estupendo que enseñaras a Melissa a jugar a tal
o cual cosa. ¡Voy a llamar a la abuela y a decírselo!».
Asegúrate de que el pequeño escucha la conversación.

*Cuando mi enérgico hijo de dos años coopera colocando
la ropa sucia en el cubo apropiado o compartiendo sus
juguetes con un amigo, llamo a su papá al trabajo y,
si el contestador automático está conectado, dejo un
mensaje: «Hola. Julie me ha ayudado metiendo todos
sus juguetes en la caja». A la niña le encanta y
su padre la felicita cuando vuelve a casa.*

Madre cansada de una niña de dos años

Nombres cariñosos

Elige nombres cariñosos para tus hijos, seleccionando los que les gusten y utilizándolos únicamente en casa si les avergüenzan. Al más pequeño probablemente no le importará que le digas: «Hasta luego, garbancito» cuando lo dejes en la puerta de la escuela, pero es muy posible que tu hija de diez años prefiera un simple «Adiós, Sandy».

Tengo nombres cariñosos para todos mis hijos y los uso a menudo. Al más pequeño lo llamo «pequeñín», aunque probablemente acabará abultando más que cualquiera de nosotros, y a mi hija la llamo «preciosa», no por lo que hace o por el aspecto que tiene, sino por quien es.

Kirsten Andrews, madre de Becca y Jonathan

Razones para las reglas

Dedica tiempo a explicar los motivos que dan sentido a las reglas familiares. Por naturaleza, los niños quieren saber por qué tienen que hacer las cosas de un modo determinado. Si dices: «¡No toques este jarrón!» y tu hijo pregunta por qué, intenta evitar: «¡Porque lo digo yo!». Con frecuencia, una simple explicación da como resultado un comportamiento más obediente.

Mientras hacía cola en el supermercado, mi hijo de cuatro años empezó a colgarse de una barra metálica divisoria. Le comenté que los extremos no estaban sujetos a la pared y le expliqué que la barra podía caerse y hacerle daño. El dependiente dijo: «Llevo tres años trabajando aquí. Por lo menos una vez al día un padre dice a su hijo que se baje de la barra, pero usted es la primera que le ha explicado la razón a su hijo».

Madre y empleada de banca

Enseñar empatía

Deja que tus hijos vean cómo empatizas con la gente, especialmente con los necesitados. Pregúntales cómo se sentirían si estuvieran perdidos como la niña que vieron en las noticias. Si encontráis a un sin techo, explícales cómo y por qué algunas personas viven en la calle.

Cuando mi hijo tenía cinco años, compramos un libro de pinturas de Norman Rockwell. Al pequeño le encantaba sentarse y hablar de cada cuadro. Describía cómo debía de sentirse la persona retratada, por qué sonreía el muchacho o qué sensaciones experimentaba la niña en su primer día de escuela. En los cuadros aparecían personas que mostraban una amplia variedad de emociones y las imágenes no resultaban demasiado complicadas para él.

Madre y bibliotecaria

Autoconversación optimista

Fomenta una autoconversación sana en la familia. Los estudios demuestran que los optimistas tienen la capacidad de pensar de una forma más positiva, ya que sus voces interiores son asimismo positivas. En lugar de dejar que tus hijos piensen: «No soy bueno en matemáticas», anímalos a pensar: «Me aprenderé las tablas de multiplicar y entonces las matemáticas serán fáciles».

Cuando nuestra hija Lauren empezó a llegar frustrada de la escuela, confeccionamos un póster para que lo leyera cada mañana, con frases tales como «Soy una ganadora; voy a triunfar», «Hago amigos con facilidad» y «No me preocupan las críticas, pues soy especial y Dios tiene un plan especial para mí». Eso la ayudó muchísimo.

Dan y Lynn Tegtmeyer, padres orgullosos

Buzón de voz

Si tus hijos llegan a casa antes que tú, graba un mensaje telefónico para darles la bienvenida. Muchos niños se precipitan sobre el contestador automático para verificar el buzón de voz en cuanto llegan de la escuela. Les encantarán unas palabras de ánimo o de humor. Agradéceles lo bien que se prepararon para ir a la escuela esta mañana o cuéntales un chiste.

Solía usar un libro de adivinanzas «Toc, toc» (como si llamara a la puerta) con objeto de crear mensajes humorísticos en el contestador automático para mis hijos. Decía: «Toc, toc...» y dejaba tiempo para que mi hija respondiera: «¿Quién es?». Proseguía con la adivinanza, haciendo pausas para que respondiera cuando tenía que hacerlo. Se lo pasaba en grande.

Madre y programadora informática

Niños al rescate

Es probable que tus hijos pusieran objeciones si intentaras cambiar una palabra de sus cuentos favoritos. No obstante, cuando leas otros menos conocidos o te inventes uno, puedes incorporar el nombre de tu hijo en el papel del protagonista. A los pequeños les encanta ser el centro de atención.

Cuando mis hijos me piden que les cuente un cuento, les asigno los personajes principales. Son los héroes que salvan a la ciudad y a sus habitantes. Les gusta muchísimo formar parte de la historia.

Justin Mitchell, administradora social

Recompensar el trabajo duro

Elige un momento en el que tus hijos estén haciendo sus tareas de casa con diligencia. Dales un abrazo y diles: «Me encanta lo bien que estáis aspirando el coche. ¿Por qué no vais a jugar un rato mientras termino de hacerlo yo?». Al principio, no te tomarán en serio, pero poco a poco irán aprendiendo que el trabajo duro siempre tiene recompensa.

Más o menos una vez al mes suelo sorprender a mis hijos completando alguna de sus tareas. He descubierto que trabajan con más ahínco sabiendo que existe la posibilidad de que acabe sustituyéndolos. La semana pasada me quedé de piedra cuando mi hijo de nueve años me dijo: «Mamá, estás haciendo un buen trabajo quitando el polvo. ¡Lee una revista mientras yo termino de hacerlo!».

Mamá que no sale de su asombro

Valorar las opiniones de los niños

Potencia la autoestima en tus hijos animándolos a expresar sus puntos de vista. Dedica algún tiempo a elaborar preguntas que fomenten el pensamiento, tales como: «¿Cómo crees que se sintió el profesor sustituto cuando la clase no prestaba atención a sus instrucciones?» o «¿Cómo podemos ayudar a los vecinos, cuyo perro ha sido atropellado por un coche?». Escucha atentamente sus respuestas. Los niños a los que se les enseña que su opinión es importante aprenden a expresarla de un modo positivo.

A menudo, durante la cena, leo un breve artículo del periódico. Selecciono cartas a Ann Landers, cartas al director, pies de ilustración, etc. Todos los miembros de la familia tienen la oportunidad de expresar una opinión sin ser interrumpidos. Este sistema asegura una animada conversación.

Papá y empleado de correos

Brindar

Propón un brindis a tus hijos. Puede ser sencillo o elaborado, como prefieras. Los niños disfrutarán haciendo sonar sus vasos mientras dices algo profundo como: «De vez en cuando, un atleta demuestra su auténtico sentido de la técnica y resistencia. Brindo por la única persona de nuestra familia bendecida con la capacidad de dar vueltas al Hula-Hoop durante dos minutos y diecisiete segundos... ¡Megan Copeland!». ¡No olvides los aplausos y las aclamaciones!

Siempre que vamos a un restaurante, por algún motivo nos sentimos obligados a brindar. Mi marido siempre me dedica un brindis sensiblero y sentimentaloide, y luego los niños brindan por los demás. ¡Algunos brindis son demasiado groseros como para poder repetirlos!

Madre incómoda de tres hijos extravertidos

Celebrar el último día de escuela

Muchos padres celebran el primer día del año escolar.
¿Por qué no celebrar también el último? Conmemora la
finalización de otro año académico sirviendo un tentempié
especial o con pequeños regalos. Pide a tus hijos que
describan las cosas que han aprendido y que expliquen los
cambios que han advertido en sí mismos desde el inicio del
año escolar.

*Suelo llevar un globo con la palabra «Felicidades»
pintada en él el último día de la escuela con el fin
de celebrar el paso al siguiente nivel académico de
mis hijos. Les gusta muchísimo.*

Kathy Moreno, ama de casa y madre de tres hijos

Demostrar un poco de cortesía

En el mundo profesional, los hombres y mujeres de negocios tratan a los clientes con cortesía y respeto. Pero a menudo en casa incluso olvidan las más simples atenciones con sus hijos. Haz un esfuerzo para decir «Por favor» y «Gracias» a tus hijos con regularidad. Asimismo, procura no interrumpirlos, ni siquiera cuando están contando una historia sobre la guerra de comida en la cafetería.

Trato a mis hijos como clientes valiosos. Esta técnica no los malcría, sino que satisface las necesidades básicas de sentirse bien acogido, importante, comprendido y reconfortado.

Tom Lagana, coautor de Chicken Soup for the Prisoner's Soul

Afronta una crisis objetivamente

Reconstruye los problemas de tus hijos de formas que puedan comprender. Después de haberles dado tiempo para airear sus frustraciones, reorienta la situación en términos claros y prácticos. Esto les enseñará la capacidad de analizar sus problemas objetivamente.

Un día, Sondra llegó de la escuela gimoteando: «¡He tenido un día horrible!». Tras tomar un tentempié, repasamos su día hora por hora. Tomé notas mientras describía cómo había empezado con su desayuno favorito (sopa de lentejas), cómo se puso una camiseta nueva, cómo había ido en bicicleta hasta la escuela, lo bien que le había salido el examen de lengua y cuánto la querían sus amables profesores. Al final, se dio cuenta de que su día «horrible» consistía en cinco minutos de pequeño conflicto a la hora del recreo.

Silvana, madre de dos hijas

Algo amable

Busca como mínimo algo alentador que decir a tus hijos cada día. Agradéceles que se hayan colgado las mochilas, que hayan sonreído a un vecino de edad avanzada, acariciado a un gatito, etc. Esto los ayudará a concentrarse en las buenas cosas que hacen.

Mis tres hijos se criaron en un hogar monoparental. Su padre murió en un accidente de automóvil cuando tenían dos, seis y ocho años. Lo más importante que hice por ellos fue proporcionarles ingentes cantidades de elogios y amor. Hoy son adultos de éxito, circunstancia que atribuyen a una madre que los apoyó en todas y cada una de las situaciones.

Ingrid Dosta, ayudante instructora

Trazar la línea

Haz saber a tus hijos que en algunas familias las reglas
se graban en piedra. La mayoría de los padres están de
acuerdo en que no hay discusión posible cuando se trata
del cinturón de seguridad. Lo mismo se aplica al casco
de la bicicleta o a decir groserías de otros. Los niños
adquieren un sentido de seguridad sabiendo que existen
normas absolutas de comportamiento en su familia.

*En nuestra casa tenemos determinadas reglas no
negociables, y los niños deben cumplirlas sin rechistar.
Todo lo demás es discutible. De vez en cuando, mi hijo de
tres años pregunta: «¿Comer bróculi es negociable o no
negociable?». Si le digo que es negociable, utiliza sus
argumentos para defender su postura. Pero si respondo:
«Esta cuestión no es negociable», todos saben
perfectamente lo que significa.*

Madre de tres hijos persuasivos

Televisión interactiva

Ve la televisión con tus hijos y comenta con ellos los programas. De vez en cuando, enmudece el sonido del televisor durante la publicidad y pídeles que adivinen lo que dicen las personas que aparecen. Es probable que empiecen a advertir el significado de las exageradas expresiones faciales que ponen. Podrías comentar las formas como los anunciantes nos animan a comprar objetos que realmente no necesitamos. Al final, los niños aprenderán a controlar sus impulsos consumistas y verán la televisión con una mayor conciencia crítica.

Cuando mis hijos ven la TV, les indico dónde reside el reclamo publicitario de cada anuncio. Se han convertido en consumidores inteligentes, pues hemos comentado hasta qué punto los anunciantes se valen de ardides para vender productos.

Padre y químico

Presentar a los niños como es debido

Presenta a tus hijos a los desconocidos de la misma forma que presentarías a un compañero de trabajo o un amigo. Asimismo, diles cuál es el modo más adecuado de corresponder a una presentación. Enséñales a estrechar las manos, a establecer contacto visual y a saludar a la gente con respeto. A su vez, los adultos comentarán los buenos modales de tus hijos, lo cual potenciará aún más, si cabe, su confianza en sí mismos.

Siempre presento a mi hija diciendo: «Ésta es Sondra, mi hija». El orden de las palabras es importante, porque la declaración muestra que, ante todo, es una persona, y que además es mi hija.

Allan, padre de dos hijas

Reglas razonables

Procura establecer reglas y expectativas razonables para tus hijos. A los niños de diez años no se les debería recordar que se abrocharan el cinturón de seguridad. Cuando comprenden lo que se espera de ellos, suelen estar a la altura de tales expectativas. Confiar en que tus hijos serán capaces de hacer lo correcto potenciará su autoestima.

Mis padres desarrollaron mi autoestima diciéndome: «¡Sé alguien! ¡Sal y encuentra un empleo!». Me dieron un año tras graduarme en la universidad para encontrar un trabajo y un lugar donde vivir. Les estoy muy agradecido, pues me ayudaron a aprender a cuidar de mí mismo. La vida no espera a nadie.

Aaron Callan, estudiante universitario

«Te quiero»

No olvides jamás el principal artífice de la confianza: decir a tus hijos que los quieres. Una palmadita en el hombro, un abrazo o un simple «te quiero» les transmite cuánto cuidas de ellos y lo importantes que son para ti.

Siempre abrazo a mis dos hijos y les digo «os quiero» antes de que se marchen a la escuela y, si estoy demasiado ocupada en ese momento, son ellos quienes lo hacen. También les escribo notas en las servilletas del desayuno, expresándoles mi amor. Pero lo más importante es decirles «te quiero» con regularidad.

Maggie Rody, mamá y decoradora interiorista

Elogiar

Haz un esfuerzo para reconocer las cosas positivas que hacen tus hijos. Tal vez se limpien los pies al entrar en casa sin que se lo recuerdes o vacíen el lavavajillas sin decírselo. Todos respondemos con eficacia al elogio. Cuando sea posible, concreta lo que hayan hecho bien. En lugar de decir «Buen trabajo», di mejor «Has hecho un buen trabajo secando las salpicaduras del agua del perro».

Tengo una cámara Polaroid en la encimera de la cocina. Cuando veo a mi hijo haciendo algo positivo, le digo: «¡Para! ¡Quédate así!». Saco una fotografía y la pongo en el frigorífico con un marco en el que se puede leer: «¡Mirad a quién he pillado portándose bien!».

Mamá fotógrafa de Philadelphia

Escuchar

En ocasiones, lo mejor que pueden hacer los padres es estar callados. Cuando los niños necesitan hablar, los padres deberían escuchar antes de dar un consejo. Tus hijos podrían asombrarte encontrando una solución a cualquier asunto.

Los niños necesitan desesperadamente ser escuchados. Tu función no consiste siempre en resolverles el problema; escúchalos. Como voluntaria en San Quintín durante los siete últimos años, he aprendido muchas cosas de los niños pequeños atrapados en el cuerpo de los hombres. Tienen escasas técnicas de comunicación y he descubierto que responden mejor a las personas que los escuchan, los animan y creen en ellos, cosas todas ellas que deberían haberse hecho durante su infancia.

Normandie Fallon, madre, enfermera
y voluntaria del ministerio de prisiones

Fomentar las aficiones

Anima a tus hijos a desarrollar aficiones. Aunque estés aburrida de leer la ciencia ficción que tanto le gusta a tu hija, pregúntale por los libros que lee, comentando con ella lo que más le apasiona y prestando atención a sus reflexiones.

A mi hijo de ocho años le encanta la jardinería. Cuando vuelve a casa con una nota de elogio de la escuela o hace algo digno de mérito, le damos a elegir una recompensa, excepto dulces y juguetes. Suele inclinarse por un libro de jardinería o hacer una visita al invernadero para comprar plantas. Me emociona que esté adquiriendo técnicas y conocimientos que le resultarán útiles más adelante. Estoy convencida de que desarrollar los intereses infantiles, aumenta su autoestima.

Kristine Savage, madre sin pareja

¡Bienvenida al podio!

Los estudios han demostrado que el miedo a hablar en público constituye la fobia número uno en Estados Unidos. Y probablemente ocurra igual en muchos otros países. Así pues, cuando se presente la oportunidad, anima a tus hijos a hablar a grupos de familiares o amigos. La confianza que adquieran hablando en público potenciará su autoestima.

Creamos un grupo especial de campistas y padres para hablar a las nuevas familias sobre el campamento de verano. Se consideró a las chicas como miembros distinguidos –tarjetones con el nombre, agua, tentempiés y presentaciones oficiales–, dándoles la oportunidad de dirigirse al grupo para comentar lo extraordinario que era el campamento. Aquello desarrolló su personalidad, al tiempo que daba a conocer nuestro campamento.

Caron Culberston, directora de campamento,
Freedom Valley Girl Scouts

Romper el hielo

En ocasiones, los niños necesitan ayuda para conocer a la gente en las nuevas situaciones sociales. Comenta las circunstancias de antemano y pide a tus hijos que aporten sus ideas. Colaborad juntos para encontrar estrategias tales como «Cuando llegue la primera reunión de Boy Scouts, busca a otro chico nuevo y siéntate con él». Los consejos prácticos ayudan a los niños a afrontar las situaciones potencialmente estresantes.

Mis dos hijos se mostraban temerosos ante la posibilidad de asistir a una acampada nocturna y sentirse «como un número». Les di un montón de helados para la hora del descanso como un regalo de presentación de Cait y Will. Les ayudó a romper el hielo.

Carol Solis, fotógrafa

Valorar las ideas de tus hijos

Agradece a tus hijos siempre que te enseñen algo. Comentarios de aprecio tales como «Nunca se me hubiera ocurrido utilizar tiras de bolsas de plástico para la cola de una cometa. ¡Ha sido una gran idea!» potencian su autoestima.

Cuando nuestro hijo empezó a conducir, aprendí algunas cosas que mejoraron mi propia conducción. Cada vez que cambiaba de carril, verificaba el ángulo muerto con un rapidísimo giro de la cabeza. Le dije: «Vaya, Brandon, estoy aprendiendo algunos trucos geniales». Aquella técnica era un auténtico salvavidas.

Tom Lagana, *coautor de* Chicken Soup
for the Prisoner's Soul

Animar con las acciones

Posibilidad de elegir

Da a tus hijos la oportunidad de elegir. Cuando sean bastante pequeños, déjalos que elijan entre los calcetines rojos o los rosa, y cuando sean un poco mayores, entre clases de piano o de dibujo. Los niños adquieren confianza tomando decisiones y experimentando sus consecuencias.

Cuando Sondra tenía dos años, su abuela le regaló una enagua de bailarina. Le gustaba tanto que no quería esconderla debajo del vestido. Durante varias semanas insistió en llevarla sobre el vestido o los pantalones cuando salíamos de paseo. La gente me dirigía miradas divertidas, pero me daba igual. ¿Por qué no dejar que disfrutara de lo lindo durante su infancia?

Silvana, madre de dos hijas

Tiempo solos

Los niños con una poderosa autoestima se sienten cómodos consigo mismos. En ocasiones disfrutan leyendo plácidamente, jugando solos o simplemente soñando despiertos. Si es posible, reserva un tiempo especial para que tus hijos lo pasen solos.

Lindi tenía tres años cuando dejó de hacer la siesta, de manera que le enseñé a aprovechar el «tiempo especial de Lindi». En un momento determinado del día, iba a su dormitorio y se entretenía sola con los lápices de colores, libros, muñecas o algún juguete nuevo. Hoy se siente muy satisfecha de poder pasar algún tiempo ocasional apartada de sus amigos y compañeras de cuarto.

Becky Holmquist, maestra

Caja de los recuerdos

Ningún padre puede imaginar el día en el que sus pequeños abandonarán el hogar familiar. Guarda recuerdos preciosos coleccionando menciones honoríficas, dibujos de sonrisas desdentadas de la guardería en una caja especial. A ser posible, haz duplicados o copias. Cuando tus hijos se marchen de casa, tendrás un maravilloso tesoro de recuerdos para regalarles.

Desde que mis hijos eran pequeños, he coleccionado juegos duplicados de fotografías en cajas para que mis hijos pudieran llevarse su propio juego al mudarse de casa.

*Rhonda Lennon, recepcionista médica
y directora de Tupperware*

Actividades económicas

Amplía el mundo de tus hijos con actividades libres o económicas. Podrías inspirarte en los consejos que se ofrecen en el envoltorio de algunos productos alimenticios para las niñas. Asistid a producciones de teatro de la comunidad, matriculaos en un curso gratuito en los almacenes de bricolaje o tomad una ruta diferente para ir en coche hasta la biblioteca.

Iniciamos un programa de «experiencias educativas» en el que cada miembro de la familia tenía que planificar una actividad original y económica para toda la familia. Probamos festivales de comida vegetariana, espectáculos de artesanía e incluso un concurso de perros mexicanos sin pelo. A nuestras dos hijas les encanta probar nuevas actividades, ya que nuestras «experiencias educativas» resultan siempre un éxito.

Silvana, madre de dos hijas

Recuerdos visuales

Si ves que tus hijos diseñan una elaborada estructura con bloques o que están pintando algo especialmente interesante, inmortaliza este momento. Conmemora la creación de una obra maestra grabando en vídeo toda la actividad o tomando fotos de las distintas fases de creación.

A mis hijos les gusta mucho construir fortines. En casa y en el patio siempre puedes encontrar varios fortines en distintas etapas de desarrollo. Cuando realizan uno particularmente creativo, le saco una foto y la coloco en un álbum especial titulado «Fortines asombrosos de Sarah y Brandon».

Madre de dos futuros arquitectos

Las pequeñas cosas que haces

Son las cosas pequeñas e inesperadas que haces lo que con frecuencia causa el mayor impacto en tus hijos. Si el tiempo lo permite, sírveles un sencillo desayuno en la cama antes de ir a la escuela, añade una flor o un pequeño animal de peluche para decorar las bandejas y léeles su cuento favorito mientras comen.

Siempre me resulta difícil despertar a mis hijos el primer lunes de primavera después del cambio horario. Su cuerpo les pide una hora más de sueño. Para facilitarlo un poco, les pongo una música suave y les llevo fruta y tostadas a la cama. Los ayuda a empezar la mañana con una nota positiva.

Madre de dos hijos, de siete y nueve años

Asistir a los actos sociales

Procura asistir a los actos sociales y escolares. Tus hijos se sentirán muy orgullosos de verte entre el público durante su demostración de talento.

Aunque mi padre seguía un tratamiento de quimioterapia y su sistema inmunológico era extremadamente sensible a la enfermedad, caminó a mi lado hasta el frente de una gran muchedumbre en mi Día del Reconocimiento Senior en el instituto. Estaba tan orgulloso de ser mi padre que arriesgó su salud para que todo el mundo pudiera ver que era su hija. Me sentí la persona más feliz del centro aquel día.

Tara Barnes, estudiante universitaria

Lista de actividades

Los niños con una elevada autoestima suelen saber lo que deben hacer para llenar su tiempo libre. Puedes contribuir animándolos a confeccionar una lista de actividades que los ayude a estar ocupados y a sentirse felices. La próxima vez que se quejen: «¡Estoy cansadooo!», limítate a señalar la lista y a sugerir una actividad.

Coloqué una lista de las actividades favoritas de mis hijos en la puerta del frigorífico para que dispusieran de una estructura para su tiempo libre. La lista les proporcionaba ideas sobre lo que podían hacer a continuación. En lugar de lamentarse, mis hijos se limitaban a echar una ojeada a la lista y a iniciar un proyecto. Se sienten muy orgullosos de haberla confeccionado ellos solos.

Maestra y madre de Wisconsin

Dar rienda suelta a la creatividad

Alimenta la creatividad de tus hijos. Busca nuevas posibilidades en sus alocadas ideas. Si quieren crear un helado de un sabor único o construir su propio monopatín, anímalos y ayúdalos, pero procurando no interferir en su camino. Hazles saber que está bien tener ideas diferentes. A menudo desmotivamos la creatividad diciendo cosas tales como: «No puedes construir el modelo del sistema solar con frutas. Usa bolas de poliuretano; quedará más bonito».

Mi hija es una pensadora libre. Cuando se suponía que la clase tenía que escribir un poema sobre la primavera, escribió uno sobre cómo huele la basura cuando se mezcla con hierba recién cortada. Tuve que aprender a respetar y animar sus pensamientos creativos, lo cual, debo confesarlo, me costó horrores.

Padre mundano y conservador de una hija creativa

Chucherías

A los niños les encantan las pequeñas sorpresas. Reúne una
colección de chucherías especiales y guárdalas donde no
puedan encontrarlas (¡es más fácil de decir que de hacer!).
De vez en cuando, escribe una nota cariñosa, pégala a una
chuchería y colócala sobre la almohada o en el cajón de los
calcetines. Una parte de la diversión consistirá en
encontrar el regalo en sitios inesperados.

*Tengo una bolsa de diez mil corazones rojos del tamaño
de una goma de borrar. A mis hijos les encanta
encontrarlos pegados en las mochilas, bocadillos del
desayuno, ropa interior, etc., como recordatorio de mi
amor por ellos.*

Carol Solis, fotógrafa

Los niños enseñan

Anima a tus hijos a compartir sus habilidades con los
demás. ¿Es tu hijo un genio de las matemáticas? Tal vez
podría ayudar a estudiar al vecino de segundo grado.
Anima a tu hijo mayor a que enseñe a anudarse los zapatos
a su hermanita. Los niños adquieren confianza cuando
enseñan sus técnicas a otros.

*Los alumnos de cuarto y quinto de Silver Beach
Elementary, en Bellingham, Washington, participan
en un programa de «tutoría técnica», dedicando una hora
a la semana a enseñar a ciudadanos adultos técnicas
informáticas básicas y formas de utilizar Internet. Los
alumnos mejoran su capacidad de paciencia y sus técnicas
de comunicación. Un pequeño observó a unos cuantos
residentes cogiendo el ratón e intentando usarlo como si
fuera un mando a distancia. Poco después, navegaban
por la web y enviaban e-mails.*

Dar New, bibliotecario, Silver Beach School

Los niños pueden ayudar en los proyectos de los adultos

Ayuda a tus hijos a que se sientan necesarios pidiéndoles que te ayuden a realizar proyectos de adultos reales, que deberían ser diferentes de las tareas que suelen hacer en casa. Podrías pedirles que pasearan el perro de un vecino de edad avanzada, que mecanografiaran en el ordenador la lista de tarjetas navideñas o que te ayudaran en un proyecto de reparación.

Tenemos un caballo miniatura llamado Prince y un quarter llamado Buck. Cuando mis sobrinas gemelas de cinco años y mi sobrino de ocho me visitan, suelo decirles que Price y Buck necesitan que alguien los monte, y que dedicamos tanto tiempo a los caballos más grandes que, a menudo, descuidamos a los pequeños. Los niños se sienten muy útiles montándolos y acariciándolos.

Ernie Porter, director de un centro de conferencias

Enseñar las técnicas valiosas

Enseña a tus hijos las técnicas que sean importantes para ti. Si te gusta hablar en público, cocinar, la ebanistería, coser o los deportes, dedica tiempo a impartir estas técnicas a tus hijos.

Enseñé a nuestros hijos a usar la voz como instrumentos musicales al responder al teléfono. Ahora, los niños pueden elegir entre una amplia variedad de voces para mostrarse simpáticos de formas inusuales. A menudo reciben la felicitación de quienes llaman. Creo que debemos enseñar a nuestros hijos nuestro propio cofre del tesoro.

Dottie Walters, conferenciante internacional
y presidenta de Walters International Speakers Bureau

Ovación clamorosa

La próxima vez que tus hijos acudan para tomar el desayuno, recíbelos con una cerrada ovación, en pie y con aplausos. Diles que se lo merecen simplemente porque son unos hijos maravillosos. Sus sonrisas y su gratitud recompensarán sobradamente la menor incomodidad que puedas sentir.

A nuestra familia le encantan los musicales de Broadway. Un sábado por la mañana, tras haber realizado varios viajes a Nueva York para ver distintos musicales, mi marido y yo recibimos a Sondra con una sonora ovación cuando bajó las escaleras para desayunar. Aplaudimos, silbamos y nos pusimos de pie en las sillas. A continuación, anunciamos todas sus maravillosas cualidades. Le gustó muchísimo.

Silvana, madre de dos hijas

Tratamiento profesional

Siéntate con tus hijos y selecciona una o más de sus obras de arte inspiradoras. Lleva los cuadros o dibujos a una tienda de marcos y pídeles que los enmarquen y acristalen como es debido. Dile al profesional lo orgullosa que te sientes de tener unos hijos de semejante talento. Los niños estarán encantados y tú dispondrás de un interminable fondo de cuadros y dibujos.

Una vez al año elijo una obra de arte de cada uno de mis hijos y la llevo a enmarcar. Tenemos toda una pared de la casa dedicada a este tipo de obras, una especie de museo cronológico que muestra su desarrollo como artistas. Cuando los parientes y amigos nos visitan, siempre hacen comentarios sobre el arte de mis hijos.

Madre de dos hijos varones

Enseñar a los niños a valorar a los demás

La gente tiene distintas habilidades y todos merecemos que se reconozcan nuestras técnicas y cualidades. Enseña a tus hijos a valorar el talento de los demás. Los niños fortalecen su carácter y autoestima mirando más allá de sí mismos y apreciando el talento que poseen y lo diferentes que somos todos.

Durante cuatro años mi marido jugó a baloncesto en una liga de aficionados. Mi hija y yo solíamos ser las únicas que animábamos desde las gradas, a pesar de que aquella variopinta formación casi nunca realizaba nada espectacular. Como familia, siempre asistíamos a los juegos de Trina. De ahí que fuese justo asistir a los partidos de papá.

Silvana, madre de dos hijas

Lleva a tu hijo al trabajo

Haz que tus hijos participen de tu vida profesional.
Podrían visitar tu oficina o acompañarte en un viaje
de negocios. Pídeles consejo sobre cómo tratar a un
compañero de trabajo gruñón o déjalos que te ayuden
a realizar tareas sencillas de oficina. Se sentirán
importantes al poder ayudarte a hacer tu trabajo.

*Un día, mi madre me llevó a su oficina y me presentó a
sus compañeros de trabajo como a su hija menor. Todos
saben cómo me llamo y cuáles son mis aficiones (y es
probable que también sepan cuántas veces me meto en
dificultades). Era estupendo saber que mi mamá pensaba
en mí durante el día. Nos unimos aún más si cabe a raíz
de aquella experiencia.*

*J. Jarris, estudiante de la Universidad
Central de Washington*

Dejar que los niños decoren su dormitorio

Los padres de Martha Stewart la criaron con «un martillo en una mano y una aguja en la otra», animándola a decorar su cuarto a su gusto y preocupándose única y exclusivamente de que la niña tuviera todo lo que necesitaba para conseguirlo. ¿Por qué no animas a tus hijos a que hagan lo mismo? Enséñales a usar la pintura sobre tela para decorar unas cortinas lisas o a enmarcar sus dibujos favoritos. Se sentirán orgullosos de sus logros y más unidos personalmente a su dormitorio.

Aunque a veces era difícil de soportar, dejaba que mis hijos eligieran las tonalidades y temas decorativos de su dormitorio. ¡Debo admitir que resultaban bastante creativos!

Madre que disfruta de las paredes blancas y lisas

Ampliar los horizontes culturales de los niños

Viajar constituye una experiencia inigualable para cualquier niño. Si vives en una casa en la gran urbe, visita de vez en cuando una localidad o pueblo rural, prestando atención a los diferentes acentos y a la gastronomía del lugar. Incluso los viajes cortos pueden exponer a tus hijos a interesantes culturas y nuevos entornos.

Llevamos a nuestra hija Stephanie y a nuestro hijo Thomas de viaje por el país. Viajamos desde Nueva Jersey hasta Houston y de Wyoming hasta Pennsylvania, visitando lugares históricos y geológicos famosos. Pasamos un mes juntos en familia, y los niños tuvieron la oportunidad de ver muchas cosas que posiblemente muchos de sus amigos no vean jamás.

Steve y Kathy Baumann,
agente del estado y vendedor minorista

Carpe diem

Demuestra a tus hijos la maravillosa sensación de apreciar el momento presente. Enséñales a ser espontáneos y a aprovechar las oportunidades. Anímalos a tener una idea y a ponerla en práctica, para que nunca puedan decir: «Ojalá hubiese hecho...».

Un día, cuando mi hija Carrie se hubo marchado a la escuela, advertí que los huevos de gallina estaban a punto de eclosionar. Los coloqué en una caja y los llevé a su clase de segundo grado con una lámpara para mantenerlos calientes. Todos los niños pudieron tener en sus manos un huevo pulsante, escuchar los arañazos en su interior y contemplar cómo nacía un pollito. Mi hija se sintió orgullosa de haber compartido una experiencia espontánea con sus compañeros de clase.

Maxine Clark, profesora de tercer grado

Crónicas fotográficas

Saca fotografías de tus hijos con regularidad y asegúrate de captar los acontecimientos cotidianos. En los años venideros, disfrutarán echando la vista atrás y viéndose montando bicicleta, jugando con bloques de construcción y columpiándose en el parque.

A nuestra familia le gusta salir y divertirse con cosas tales como pasear y comer un helado. Siempre llevo una cámara, pues a los niños les encanta que les saquen fotos. Por mi parte, me gusta organizarlas en álbumes individuales para que puedan echar la vista atrás y ver cómo han crecido. A menudo, las fotos inspiran historias maravillosas. Creo que estos álbumes hacen que se sientan muy queridos.

Anne Hotchkiss, madre de cuatro hijos y ama de casa

Conectar con tus hijos

Los niños experimentan el mundo con una actitud alegre y desenfadada. Juega con ellos y ríe con sus bromas infantiles. Finge que no sabías que el cojín de los sonidos estaba en tu asiento. Sonríe cuando te cuenten lo que les ha sucedido durante el día y establece contacto visual directo con ellos siempre que tengas la oportunidad.

Trabajando con jóvenes delincuentes, hay dos indicadores de la autoestima que con frecuencia se ignoran: el contacto visual directo y la sonrisa. Intento mirar directamente a mis hijos y sonreírles tan a menudo como puedo.

Tom Lagana, coautor de Chicken Soup
for the Prisoner's Soul

Recorrer el kilómetro adicional

Sal de tu camino para conseguir que tus hijos se sientan especiales. En efecto, lleva tiempo encontrar ese par de calcetines rojos a rayas que tanto desean. Sí, tal vez tengas que olvidarte de leer el periódico para ayudar a tu hijo a entrenarse para una competición atlética escolar. Siempre que hagas este esfuerzo extra, procura sentirlo como algo muy tuyo.

Cuando ni hija estaba recibiendo su doloroso tratamiento contra la leucemia, le dejábamos que eligiese un pequeño juguete de un cesto después de cada sesión. Solía comprar los juguetes que sabía que iban a gustarle y los colocaba en la cesta antes de que llegara el momento de volver a elegir uno.

Nancy Keene, escritora

Respetar las opiniones de los hijos

Es normal que los padres alimenten esperanzas acerca de sus hijos. A muchos de ellos les gustaría que su hijo fuera atlético, destacado y melómano, mientras él se conforma con ser estudioso y artístico. Anima a los niños a probar nuevas actividades, pero respeta siempre su personalidad y sus opiniones básicas.

Mis padres vinieron a recogerme al campamento porque me negaba a comer bocadillos de salchichas y carne asada. Los consejeros en Omaha no comprendían mis hábitos vegetarianos. Había sido vegetariana casi toda la vida. Mis padres comían carne, pero también apoyaban mi decisión de no hacerlo, ¡lo cual resultaba un verdadero problema en una ciudad de steak houses*!*

Gail Howerton, conferenciante profesional

Mirar a través de los ojos de los hijos

Ten siempre presente la perspectiva de tus hijos y a menudo te sorprenderás disfrutando más de la cinta y el lazo que del caro regalo. Para tus hijos, cenar en platos de juguete puede resultar más memorable que hacerlo en un restaurante de moda.

Mi esposo y yo no tenemos televisor desde hace catorce años. Hemos dedicado horas y horas a la lectura y a jugar con nuestros hijos. Hemos cuidado el jardín y construido cosas juntos. Pues bien, a pesar de todas estas actividades maravillosas con los niños, el otro día mi hijo de cinco años me dijo que lo que más le gusta de todo es... ¡dormir en nuestra cama!

Dr. Barb Brock, catedrático,
Universidad Central de Washington

Regalos desde el corazón

Procura valorar los regalos caseros que tus hijos te hacen de todo corazón. La piedra recubierta de trocitos de cinta adhesiva representa cuánto te quiere tu hijo. El dibujo goteando pintura significa que tu hijo pensó en añadir todos sus colores favoritos a su obra maestra. Aunque no tengas ni idea de lo que es en realidad el regalo, realiza comentarios elogiosos acerca de su color, forma y tamaño.

Suelo poner las preciosas flores que me traen mis hijos en un jarrón sobre la mesa, aunque primero las limpio un poco. Hemos tenido toda clase de flores silvestres, dientes de león, helechos y plantas.

Betty Jane Totreault, mamá dedicada
a la escolarización doméstica

Consecuencias

A medida que tus hijos se vayan haciendo mayores, déjales que experimenten las consecuencias de sus acciones. Al final, acabarán valorando la correlación entre las acciones y sus resultados. Cuando estudian mucho para un examen, la consecuencia natural será obtener buenas calificaciones. Por otro lado, cuando esperen hasta el último minuto para hacer un proyecto escolar, la baja calidad del esfuerzo dedicado quedará de manifiesto.

Me sorprendió que me asignaran un importante papel en la obra de la escuela. El director nos dio exactamente tres semanas para aprendernos el texto. Mi madre me recordó un par de veces la necesidad de memorizar los versos y luego dejó de hacerlo. Convencido de que sería capaz de recitar el papel a la perfección, no me lo aprendí y lo perdí. Al final se lo asignaron a un compañero de clase. Desde aquel día, cambié de actitud.

Actor de teatro novato

Vestirse para las ocasiones especiales

Si tus hijos van a participar en un recital de danza u otro acontecimiento escolar formal, haz un esfuerzo y ponte algo bonito. No hace falta que sea un vestido de noche; basta con «algo más» aparte de los vaqueros o las mallas. Los niños advertirán que te has tomado el tiempo necesario para estar más atractiva.

Vivimos en una zona en la que se viste con ropa muy corriente. Casi todo el mundo lleva vaqueros para asistir a los eventos escolares especiales. Por mi parte, procuro ponerme unos pantalones caqui y un jersey bonito. Les digo a mis hijos que se lo merecen y, si alguno de ellos interpreta el papel principal en la obra, ¡incluso utilizo el lápiz de labios!

*Mamá que viste de modo informal
y trabaja en casa*

¿Qué más da un poco de suciedad?

Si tú estás en el «lado limpio», intenta comprender que los niños son extremadamente activos y que a menudo se ensucian. Proporciónales innumerables oportunidades de invertir su aparentemente inagotable energía y procura no mostrarte terriblemente preocupada por tener que limpiarles las uñas.

Hace algunos veranos, mis tres hijos y yo hicimos una acampada bajo las estrellas, mientras las ranas, babosas y otros insectos reptantes se deslizaban sobre nuestros sacos de dormir. Se rieron muchísimo cuando fui incapaz de encontrar el retrete en la oscuridad –habían escondido la linterna–. Me gusta que los niños experimenten una amplia variedad de entornos, desde la montaña hasta las grandes ciudades.

Ingrid Dosta, ayudante de formación

Hacer el esfuerzo extra

Algunos niños necesitan más atención que otros. Dales el impulso que necesitan para que, con cada esfuerzo, aprendan algo nuevo acerca de sus capacidades.

Ayudé a elevar la autoestima de mi hijo de diez años, tímido y obeso, contactando con el periódico local y explicando cuál era su afición. Había realizado varias visitas a museos marítimos, que le habían inspirado la construcción de pequeños barcos con ramitas y papel. El periódico publicó una fotografía del niño junto a sus diminutas creaciones. Se sintió muy orgulloso.

*Sally G. Des Marais, madre, abuela
y directora de guardería durante veintiséis años*

Participación de los hijos

Asigna responsabilidades apropiadas a la edad de tus hijos.
Realizar las tareas domésticas y contribuir al bienestar de
la familia les proporciona un sentido de valor. Explícales
cuán importante es que cada miembro de la familia se
encargue de limpiar, cocinar, pasear al perro, etc.

*Cuando éramos pequeños, cada año realizábamos viajes
de acampada en Canadá. Los niños eran responsables de
determinadas cosas relacionadas con el camping. Aún
recuerdo lo orgullosos que se sentían mis padres por lo
bien que hacíamos nuestro trabajo.*

Bob Zippiern, estudiante universitario

Modelos de rol positivos

Busca formas de exponer a tus hijos a modelos de rol saludables. Infórmate de la celebración de diversos actos relacionados con aficiones tales como una reunión de entusiastas del modelismo ferroviario o del coleccionismo de sellos y monedas. A la gente le encanta hablar de sus aficiones, y los niños se beneficiarán de este tipo de actividades.

Mi hijo, Joe Seale, nació en 1950, cuando no era fácil ser negro en América. Sus maestros y yo sabíamos que tenía talento, pero necesitaba un modelo de rol negro de éxito. Ralph Bunche, ex embajador en las Naciones Unidas, fue el elegido. Los amigos de Joe le decían cosas tales como: «Los niños de color no pueden conseguir trabajos como éste». Pero Joe respondía: «Voy a ser como Ralph Bunche. Si él lo hizo, yo también puedo». Recientemente, Joe se ha licenciado en la Universidad Cornell.

Madre orgullosa de Florida

Comprender el desarrollo del niño

Edúcate acerca del comportamiento de los niños en sus diferentes edades. Si eres consciente de que los pequeños de uno a dos años tienen rabietas y de que los adolescentes se preocupan por la presión de sus iguales, estarás más capacitada para ofrecer el apoyo que necesitan tus hijos a fin de fomentar una sana autoestima.

Yo era el típico adolescente que no quería que mis amigos me vieran con mis padres. Para ayudarme a superar esta fase, de vez en cuando mis padres organizaban pequeñas excursiones. Me recogían en la escuela, con el equipaje cargado, y nos desplazábamos hasta localidades vecinas o hacíamos largos viajes hasta nuestra casa de Indiana. Se aseguraban de que pasáramos tiempo juntos y así aprendía a no sentirme avergonzado de mi familia.

James McClure, estudiante universitario

Reír un poco

Deja que tus hijos vean tu sentido del humor. La risa es una forma extraordinaria de aliviar el estrés. Enséñales que está bien dar saltitos por la calle o gastar una broma inofensiva. A menudo, estamos tan preocupados por las reglas y la disciplina que olvidamos divertirnos.

Cuando nuestra hija se preparaba para afrontar su primer día de trabajo en una tienda de comestibles, dijo: «Papá, ¡no quiero que te vean espiándome!». Como es natural, mi esposa y yo nos vestimos con trajes extravagantes que incluían pelucas fluorescentes y unas gafas enormes, y nos dirigimos a la tienda fingiendo no conocerla. Aún hoy recuerda cuánto le ayudó a romper el hielo con sus nuevos compañeros de trabajo.

Allan, padre de dos hijas

Reservar tiempo para estar juntos

La fiesta del té

Disfruta de una fiesta del té improvisada con tus hijos una tarde lluviosa de sábado. Prepara unos tentempiés, a modo de merienda, y complétalo con velas y tazas de té chinas. Los toques formales demostrarán a tus hijos que merecen un tratamiento especial.

Aún recuerdo cuánto me gustaban las fiestas de té con mi madre cuando era una niña. Sin embargo, mi hijo de diez años opina que son para «niñas bobas». A pesar de su renuencia, de vez en cuando dispongo la mesa con la mejor vajilla y flores hermosas. Siempre que corte el pan en círculos y los llame «bocadillos de fútbol», mi hijo se sienta a mi lado y disfruta de nuestra fiesta de té modificada.

Mamá futbolista de Seattle

Tiempo libre juntos

Reserva períodos de tiempo para pasar con tus hijos. No hay nada como una taza de chocolate caliente mientras leen cómics. Siempre recordarán los sábados por la mañana cuando todo el mundo jugaba al Monopoly en pijama hasta el mediodía. Existe una intimidad muy especial que se desarrolla cuando las familias gozan de un tiempo juntos sin una agenda planificada.

Un día, mientras acostaba a mi hijo de siete años, aprendí una buena lección. Le pregunté: «¿Cuál ha sido el mejor momento del día?». Dijo que se lo había pasado muy bien ayudándome con la barbacoa. Todo lo que hicimos fue sentarnos junto a la barbacoa y charlar.

Papá y maestro

Valora los momentos ordinarios

Deja que tus hijos sepan que aprecias su compañía incluso cuando estás enfrascado en la rutina diaria. Te asombraría cuán a menudo surgen pequeñas oportunidades si dices algo así como: «Ir al supermercado es más divertido si vienes conmigo». En una ocasión, un periódico preguntó a quinientos niños: «¿Qué hace feliz a una familia?». La primera respuesta fue: «Hacer cosas juntos».

A mi hija y a mi hijo les encanta bailar conmigo en la cocina. Escuchamos música mientras preparamos la cena. Cuando los descansos mientras se hace la comida lo permiten, a menudo bailamos alrededor de la mesa.

Justin Mitchell, administradora social

Simples diversiones

Llega un momento en que tus hijos necesitan romper la rutina. Reserva un fin de semana para desconectar de todo. No necesitas gastar demasiado dinero, simplemente apagar el televisor, desenchufar el teléfono y ver qué pasa.

No podíamos permitirnos el lujo de pasar un fin de semana en un hotel, de manera que intercambiábamos la casa con amigos de toda la ciudad. Aunque sólo vivimos a veinte kilómetros, la casa de nuestros amigos parecía un mundo diferente. Pasear por el vecindario era muy divertido. Cada familia acordaba que los contestadores automáticos se encargaran de atender las llamadas. Nos relajábamos y disfrutábamos juntos de nuestras minivacaciones.

Madre y empleada de banca

Almuerzo familiar en la escuela

Organiza tu agenda para que de vez en cuando puedas almorzar con tus hijos en la escuela. A los niños pequeños les encanta que sus padres se sienten con ellos en la cafetería, mientras que los mayores podrían preferir una salida rápida a una hamburguesería. Sea como fuere, captarán el mensaje de que te gusta estar a su lado.

Solía recoger a mi hija en la escuela tres o cuatro veces al año. Íbamos a un restaurante de comida rápida y almorzábamos juntos. Un día, cuando acompañé de nuevo a mi hija a la escuela, pude oír cómo una de sus migas le decía: «Vaya, Rachel, tu padre debe de quererte horrores para llevarte a almorzar cuando no es tu cumpleaños».

Padre e ingeniero

Momentos exclusivos

Los períodos de tiempo exclusivos entre un padre y un hijo son siempre muy especiales. Planifícalo con antelación para que el niño pueda saber cuándo tendrá la oportunidad de disfrutarlo. Hazlo por escrito y colócalo en un lugar visible, si es necesario, para que pueda recordarlo.

Solía organizar una «noche fuera para chicas» con mis hijas. Hacíamos cosas tales como cenar, comer helados, mirar escaparates, etc. No siempre gastábamos dinero, pero invariablemente nos divertíamos. Compartíamos una maravillosa intimidad.

Susan Leaf, madre exclusiva

Compartir los descubrimientos

Comparte descubrimientos espontáneos con tus hijos. Salid al campo y enséñales el primer azafrán de primavera asomando a través del barro. Muéstrales cómo reparaste la rasgadura en el papel pintado. Déjalos que paseen bajo la lluvia. Cada día proporciona una oportunidad para abrir sus ojos a cosas interesantes acerca del mundo que los rodea.

Me gusta compartir «momentos de descubrimiento» con mis hijos. Pueden ser algo tan simple como contemplar una rama en un estanque o admirar un bonito sello en el sobre de la carta de la abuela. Me gusta hablar con ellos de lo que descubrimos y los animo a valorar las pequeñas y agradables experiencias de la vida cotidiana.

Dr. Barb Brock, catedrático,
Universidad Central de Washington

Tradiciones tontas

¿Por qué no introduces tradiciones tontas en la familia?
Conozco una familia a la que le gusta aullar como los lobos
cuando hay luna llena. Otra familia tiene un gran jardín
y celebra la «Fiesta de los espaguetis en el Porche de los
Vecinos» el 8 de agosto. Las tradiciones sencillas y
bobaliconas contribuyen a desarrollar un sentido de
unidad familiar y fomentan la autoestima en tus hijos.

*Cuando un niño hace un buen trabajo en nuestro
campamento de verano, todos cantan «A saltar por la
habitación». A todos los niños les encanta ser elegidos
para saltar por la habitación. Se recompensa a los
campistas por su buen comportamiento y la diversión
está asegurada.*

*Kathy Baumann, consejo de administración,
campamento Ma-he-tu*

«Semana especial»

Cada mes concede a tus hijos un período de siete días con una actividad programada para cada día de la semana especial. El lunes podríais montar en bicicleta hasta el parque. El martes, construir un aeromodelo. El miércoles, hacer un rompecabezas. La actividad no tiene que llevar mucho tiempo ni suponer que se gaste dinero, y los niños siempre valorarán tu atención exclusiva durante su semana especial.

Quince minutos antes de empezar a cenar, mis hijos verificamos el «calendario de actividades clave». Hago turnos con las niñas llevando a cabo una actividad breve y divertida que hemos planificado de antemano. Conviene consultar el calendario y leer: «Mamá y Gabby reparan los animales de peluche». El calendario evita que se acumule la presión respecto a las actividades que aún quedan pendientes.

Madre y diseñadora gráfica

Dedicación especial

Demuestra a tus hijos que te lo pasas muy bien jugando con ellos. Siempre que tengas la oportunidad, añade unos cuantos minutos de diversión mientras hacéis encargos o tareas domésticas.

Cada año mis hijos pasan un «tiempo especial» conmigo mientras compramos prendas de vestir para la vuelta a la escuela. Cada cual lleva su dinero y puede tomar decisiones importantes sobre lo que conviene o no comprar. Mantenemos magníficas conversaciones y disfrutamos muchísimo de este período de atención exclusiva. Siempre incluimos el almuerzo en su restaurante favorito.

Darlene VanderYacht, paraprofesional

Voluntariado familiar

Busca formas de ejercer el voluntariado familiar.
Los equipos paralímpicos suelen necesitar ayuda, y las
entidades cívicas locales siempre necesitan voluntarios
para pasear perros. Tus hijos aprenderán lecciones
importantes ayudando a los demás, y la respuesta positiva
que reciban contribuirá a potenciar su confianza en sí
mismos.

*Con cuatro hijos, en ocasiones es difícil ejercer el
voluntariado familiar. A mi hijo de nueve años se le
ocurrió la idea de preparar «bolsas de tentempié para la
hora de acostarse» para los niños necesitados. Una vez al
mes, distribuyo diez bolsas de papel sobre la mesa. Los
más pequeños las decoran con lápices de colores y
purpurina, mientras los mayores las llenan de zumos,
barritas de chocolate, corteza de frutas y un juguete.
Luego, nos encargamos todos juntos de entregarlas en un
refugio de familias sin hogar.*

Leslie Johnson, madre de cuatro hijos

Una pausa para escuchar

Una de las formas más eficaces de conseguir que tus hijos se sientan especiales consiste en concederles una atención exclusiva. Aunque andes apurada de tiempo, di algo así como: «Me sentaré aquí mientras me cuentas cómo era el fortín que construiste. Quiero saberlo. Luego tendré que regresar a la cocina; estoy haciendo la cena».

He llenado un vacío en la vida de mi hijastra permitiéndole hablar de cosas que la hacen sentirse inquieta si las comenta con sus padres. Le doy la libertad de preguntarme cuanto desee. Como contrapartida, le puedo formular preguntas importantes. Esto hace que se sienta cómoda y madura.

Kimberly Raymer, escritora

Diversión en el automóvil

En los largos viajes en automóvil, coloca a un niño en el asiento delantero, mientras uno de los padres ocupa una plaza en el asiento trasero. Si sólo hay un adulto en el coche, establece turnos para que todos ocupen el asiento delantero el mismo tiempo. Separando a los hermanos te ahorrarás una infinidad de problemas. Además, los padres tienen la oportunidad de hablar individualmente con sus hijos. Por supuesto, aquel de tus hijos que vaya delante ha de tener la edad suficiente para que no peligre su seguridad.

Mi marido tiene la costumbre de conducir en los viajes largos. El año pasado le sugerí un cambio. Estaba cansada de vigilar a los diablillos y le pedí que se sentara detrás mientras yo conducía. Estuvo jugando al bingo del abecedario con nuestro hijo de ocho años, al tiempo que mi hija adolescente se sentaba a mi lado. Las dos disfrutamos de una maravillosa conversación ininterrumpida. ¡No paró de hablar durante todo el viaje!

Madre y ama de casa

Prendas familiares

Los adolescentes podrían poner los ojos en blanco y hacer comentarios burlones, pero lo cierto es que a los niños pequeños les gusta mucho vestirse como papá o mamá. Una familia decoró camisetas lisas con pintura para lucir en una reunión familiar. Si a tus hijos mayores no les entusiasma la idea de aparecer en público con el aspecto de los cantantes de la familia Trapp, compra camisetas familiares que hagan las veces de pijama.

Un año, mi esposo y mis tres hijos realizaron un viaje «sólo para hombres». Les confeccioné sombreros con «Los chicos Thoma» bordado en la cinta delantera. Se sintieron muy orgullosos de poder llevarlos.

Sandy Thoma, terapeuta matrimonial y familiar

Estar unido cuando se está separado

En la distancia

Si vas a pasar unos cuantos días fuera de casa, graba una cinta con un mensaje cariñoso para tu hijo y déjasela sobre la almohada. Dile dónde estás y lo que haces, cuéntale uno de sus cuentos favoritos y mándale un beso especial de buenas noches. También podrías cantarle una cancioncilla familiar, especialmente si forma parte de la rutina de acostarse.

Curiosamente, a mis hijos les encanta que salga de viaje. Les gustan muchísimo las cintas que les dejo. Asimismo, cuando me dispongo a contarles un cuento les digo algo así como: «Antes de que cerréis los ojos, mirad en el cajón de los calcetines. Hay un dulce». Y allí encuentran una nube de azúcar o un cupón para comprar un helado.

Papá viajero de Boston

Regalos de vacaciones

Si estás separado de tus hijos en vacaciones, utiliza el servicio de correos para estar en contacto. Envíales unos pendientes por Navidad, un huevo de chocolate en Pascua o confetis en Año Nuevo. Cuesta muy poco dinero enviar objetos ligeros por correo y hace que los niños se sientan especiales. Algunos padres envían regalos al marcharse de la ciudad para asegurarse de que llegarán a tiempo.

Cada primavera envío cestas de Semana Santa envueltas en un sobre acolchado a mis hijos en la escuela, y aprovecho la menor oportunidad para mandarles algo especial que les recuerde cuán importantes son para nuestra familia.

*Stephanie Siemens, directora
de campamento y escritora*

Estar en contacto

Busca formas de mantenerte en contacto con tus hijos cuando estén en un campamento residencial o pasando una semana en casa de la abuela. Coloca breves notas en sus bolsillos o envuelve unos pijamas nuevos para que se los pongan en su primera noche fuera de casa. Una madre pegó una foto divertida suya en el interior de la maleta de su hijo. (Ni que decir tiene que éste la quitó de inmediato para evitarse la vergüenza.)

Mientras mis hijas se preparan para acudir al campamento de chicas scout, participamos todos para reunir y colocar en las maletas todo lo que necesitan. Ponemos la ropa de cada día en bolsas individuales que incluyen una nota cariñosa de ánimo.

Donna Winders, directora
de los servicios del programa

Enviar vídeos a los parientes

Mantente en contacto con tus parientes lejanos enviándoles cintas de vídeo por correo de las «hazañas» energéticas de tus hijos. Documenta las actividades diarias, tales como tocar el piano y saltar en el trampolín. A los abuelos les encanta ver estos documentales, y los niños disfrutan siendo el centro de atención.

Mis hijos nunca habían visto a los hijos de mi hermana y querían que sus primos los conocieran antes de la reunión familiar que habíamos proyectado. Así pues, mi hermana y yo grabamos sendos vídeos de nuestros hijos llevando a cabo sus actividades cotidianas, tales como jugar en el jardín, pelearse y lavarse los dientes. A los niños les encantó ver a sus primos, y lo más importante es que se sintieron como si fueran amigos cuando por fin se encontraron.

Maestra y madre de tres hijos

Mandar por fax un mensaje o un dibujo

Si estás fuera de la ciudad y tienes un fax en casa, haz un dibujo o escribe una nota cariñosa y envíala a tus hijos. Algunos padres mandan mensajes de fax a sus pequeños en la escuela. Tus hijos disfrutarán recibiendo una nota que diga: «Jason, buena suerte en tu examen de historia. Te quiero. Papá».

Cuando Sondra tenía cuatro años, hizo un sencillo dibujo de un perro. Decidimos enviarlo por fax a la abuela, la cual, para nuestra sorpresa, nos la devolvió después de añadirle algunas flores y un gatito. Luego, Sondra dibujó una caseta para el perro y lo envió de nuevo a la abuela. El dibujo crecía y crecía. ¡Menos mal que eran llamadas locales!

Silvana, madre de dos hijas

Boletín familiar

Ayuda a tus hijos a mantenerse en contacto con sus
parientes publicando un boletín familiar. Podrías
confeccionar un folleto a doble página o un documento
completo de veinte páginas con fotos a color. El boletín
permitirá que todos estén al día de los acontecimientos
de las demás familias y hará que tus hijos estrechen sus
vínculos con los miembros de la familia que viven lejos.

Nuestra familia publica un boletín cada dos meses.
Usamos una simple plantilla e invitamos a los miembros
de la familia a contribuir con sus historias, como cuando
a Sarah se le cayó su primer diente, mamá participó
en una carrera de 5 km, Fluffy tuvo tres gatitos, etc.
Guardamos copias en una carpeta de tres anillas y nos
lo pasamos muy bien revisando números anteriores.

Paisajista y madre de dos hijos

Recetario de cocina familiar

Una forma extraordinaria de fortalecer los vínculos familiares y de alimentar la autoestima de tus hijos consiste en confeccionar un libro de recetas familiar. Sugiere a todos los miembros de la familia, incluyendo a los parientes lejanos, que os envíen sus recetas favoritas y pídeles que incluyan alguna que otra anécdota. Encuaderna los libros con carpetas de anillas y fotocopiadoras o acude a un impresor local. Los niños pueden ilustrarlos.

Invitamos a toda nuestra familia a enviar recetas para confeccionar un recetario de cocina familiar. Fue muy divertido descubrir los «Huevos terroríficamente revueltos de Alison», por ejemplo. La familia se sentía más unida, a pesar de que la mayoría de nosotros vivíamos a miles de kilómetros de distancia, y los niños estaban orgullosos de ser autores publicados.

Madre y creadora de recetarios

Correo de acampada

A los niños les emociona muchísimo recibir correo cuando están en un campamento residencial. ¡Pero cuidado con los campistas que reciben una carta escrita con lápiz de labios o bañada en perfume! Envía la primera carta dos o tres días antes de que tus hijos partan hacia el campamento. De este modo, la recibirán nada más llegar.

Cuando nuestra hija estuvo en un campamento, mi esposo le envió varias postales con mensajes cariñosos. Naturalmente, aquellas cartas se leyeron en voz alta en todo el campamento. Pasó un poco de vergüenza, pero sabía que la queríamos.

Madre e higienista dental

Postales creativas

Comunícate con tus hijos cuando estés fuera de la ciudad mediante el uso creativo de postales. Demuéstrales que los consideras especiales enviándoles una postal a cada uno. Pero que tengan truco: los niños tendrán que colocarlas una junto a la otra para leer el mensaje completo. Si sólo tienes un hijo, mándale varias postales y dile que las encaje hasta leer el mensaje completo.

Siempre guardo un montón de postales para enviar a mis hijos cuando viajo por motivos de trabajo. Les mando una por correo desde casa el día antes de salir. De este modo, la reciben el día de mi marcha. Hasta la fecha, no han reparado nunca en el matasellos.

Papá y consultor

Dejar que los niños ayuden a hacer el equipaje

Si vais a estar fuera de casa varios días, deja que tus hijos te ayuden a preparar el viaje. Pídeles que sugieran cosas que hay que llevar. Con un poco de suerte, los más pequeños podrían hacer dibujos para meter en las maletas. Les podrías enseñar los marcos irrompibles que te llevas con sus fotografías. También les podrías enseñar cómo las colocas en la habitación del hotel nada más llegar.

Cuando era pequeño, mis padres salían de vez en cuando a cenar con sus amigos el viernes por la noche. Mi mamá me dejaba elegir el atuendo –vestido, zapatos, joyería, todo–, ¡y podía llevar lo que había elegido!

Kelly Redfield, estudiante universitaria

«Te echo de menos»

Diles a tus hijos cuánto los echas de menos cuando estás fuera de casa, y explícales cómo visualizas lo que están haciendo.

Mi esposa y yo hacemos viajes de negocios con regularidad. Antes de salir, recordamos a nuestros hijos que el motivo por el que los echamos tanto de menos es porque los queremos. Recientemente, me estaba preparando para salir de viaje y le estaba diciendo a mi hijo de cinco años cuánto lo echaría de menos. Él me recordó que aquello era estupendo, pues echarle de menos significaba que realmente lo amaba. A veces, pienso que lo entiende mejor que yo.

Robert MacPhee, papá orgulloso

Rutinas de trabajo

Desarrolla una rutina para tus hijos siempre que tengas que estar fuera de casa algunos días. Dales una copia del itinerario de vuelo y el número de teléfono del hotel. Explícales lo que harás durante el viaje. A menudo, los niños imaginan que te vas de vacaciones y no se dan cuenta de que tendrás que trabajar. Las rutinas los ayudan a estar conectados contigo mientras tu frenética vida te obliga a alejarte de ellos.

Cuando estoy fuera de la ciudad, llamo a mis hijos por la mañana mientras se preparan para ir a la escuela. En ocasiones, tengo que levantarme muy temprano, sobre todo cuando estoy en una zona horaria diferente, pero el día no empieza hasta que establezco contacto con mi familia.

Papá y consultor informático

El último regalo: tu tiempo

Si viajas con frecuencia, intenta evitar la rutina de «Te traeré un juguete». Tus hijos empezarán a esperar más los regalos que tu regreso. Promételes que cuando vuelvas jugarás con ellos a baloncesto o que montaréis en bicicleta. Tu tiempo es el regalo más precioso que puedes ofrecer.

Cuando mi esposa tenía que salir de casa para dar conferencias, Sondra y yo elegíamos detenidamente la ropa que se pondría cuando fuéramos a esperarla al aeropuerto. Nos vestíamos como Dorita y el Espantapájaros, Peter Pan y el capitán Garfio, e incluso Christine y el fantasma de la Ópera. ¡Lo hicimos durante dos años hasta que se nos agotaron las ideas!

Allan, padre de dos hijas

El árbol familiar

Explica a tus hijos el lugar que ocupan en el árbol familiar.
Si los encuentros no son frecuentes, anímalos a usar
el correo electrónico o las cartas para mantenerse en
contacto con sus parientes. Los niños desarrollan un
especial sentido de la seguridad sabiendo que tienen
primos, tíos, tías y abuelos que los quieren y se preocupan
de ellos.

*Diseñé un cuaderno para mis hijos con las fotografías de
nuestros parientes. Lo guardábamos junto al teléfono,
de manera que cuando llamaba un primo, buscábamos
rápidamente la página en la que estaba su foto. Esto les
ayudaba a recordar quién era la persona con la que
estaban hablando y les ayudaba a desarrollar un vínculo
más poderoso con los miembros de la familia que
vivían lejos.*

Artista y madre de tres hijos

«Bienvenido a casa»

Organiza una bienvenida especial para los miembros de la familia que han estado fuera de casa. Por ejemplo, si tus hijos regresan después de pasar una semana en un campamento de vacaciones o de visitar a la abuela, hazles saber lo contento que estás de verlos de nuevo con una bienvenida familiar especial.

En nuestra familia, cuando alguien está fuera de casa durante más de dos noches, colocamos una vela eléctrica en la ventana, junto a la puerta delantera. Mantenemos la vela «encendida» las veinticuatro horas del día, de manera que aun en el caso de que los miembros de la familia regresen durante el día, la vela está allí para darles la bienvenida. En una ocasión, nuestra hija llegó a casa de la universidad hace algunos meses y quedó muy desilusionada porque nos habíamos olvidado de colocar la vela para ella.

Papá y mecánico

Notas en el almuerzo

Utiliza las bolsas del almuerzo de tus hijos para comunicar sentimientos cariñosos. Escribe notas en sus servilletas o incluye mensajes sorpresa en los bocadillos. Una madre usaba unas pinzas para extraer los mensajes de los pastelitos de la buena suerte. Luego, con una inagotable paciencia, los sustituía por mensajes personalizados para sus hijos (¡sí, ya sé que es un poco exagerado!).

Parte de mi responsabilidad paterna en casa incluye envolver el almuerzo de nuestros hijos. Siempre añado una «Sorpresa Especial de Papá». Podría ser una barrita de chocolate, una nueva goma de borrar o cualquier cosa que se me ocurra. Los niños buscan sus sorpresas y las muestran a sus amigos y maestros.

Rich Garbinsky, director de campamento

Expresar el amor con palabras y arte

Carta de nacimiento

Poco después del nacimiento de tu hijo escríbele una carta describiendo el impacto que ha causado en la familia. Comparte tus sentimientos acerca de las maravillas del embarazo, explica cómo decoraste su dormitorio, narra el parto (podrías evitar los detalles más dolorosos), explica cómo se prepararon sus hermanos para recibir al nuevo bebé, etc. Entrega la carta a tu hijo cuando cumpla diez años. De este modo, podrá valorar las profundas emociones que sentías.

Aunque estaba exhausta, escribí una carta a mi hijo el día después de su nacimiento. Sabía que probablemente sería incapaz de valorarla hasta que él tuviera sus propios hijos, pero deseaba transmitirle el inmenso amor que sentía en aquel instante.

Madre y enfermera

Diseñar un árbol genealógico

Ayuda a tus hijos a comprender su pasado confeccionando juntos un árbol genealógico. Podrías limitarte a trazar líneas con nombres o podrías incluir fotografías y esbozos. Aunque sólo enumeres dos o tres generaciones, el árbol instilará un sentido de pertenencia en los niños, además de recordarles la existencia de otros miembros de la familia.

Nuestro primer hijo, Christopher, se convirtió en «hermano mayor» tras el nacimiento de nuestro segundo hijo, Michael. A Chris le costó un poco asumir el cambio. En ocasiones gritaba: «¡No soy nadie». Entonces le hablábamos de sus primos en Texas, sus tíos en Fresno y San Francisco, y del resto de los parientes. Al final, Chris se daba cuenta de que seguía siendo Christopher, nuestro hijo que tenía una gran familia que presentar a su hermanito pequeño.

Steve Shively, director de centro de conferencias

Correo escolar

Escribe una carta a tu hijo y envíasela a su escuela. ¿Recuerda lo emocionante que fue que llegara un mensajero y entregara al maestro una nota para alguien? La clase estaba llena de ojos esperando ver quién sería el afortunado destinatario. A menos que tu hijo sea extremadamente tímido, disfrutará de la sorpresa de recibir tu carta inesperada en la escuela.

Siempre mando postales de cumpleaños a mis hijos a la escuela. Les encanta recibirlas. Les causan un mayor impacto que si se las hubiera entregado en mano junto con los regalos.

Padre de dos preadolescentes

Pósters personales

Proporciona a tus hijos una hoja grande de cartulina para que confeccionen pósters personalizados. Dales revistas y fotografías para que puedan realizar un collage de las actividades que más les gustan. Anímalos a dejar espacio para añadir fotografías a medida que vayan desarrollando nuevos intereses. Exhibe los collages en un lugar destacado de la casa.

Tengo dos hijas maravillosas de seis y siete años. Tenemos los pósters junto a sus camas, donde dibujan o pegan fotografías de cosas en las que despuntan o quieren despuntar. Los llamamos los pósters «¡Soy Superbueno!».

Hank DeFelice, conferenciante profesional

Amigo invisible

Desígnate el «amigo invisible» de tus hijos. Esconde pequeños regalos en su dormitorio o coloca mensajes secretos en su bolsa de gimnasia. Al final, sospecharán que eres tú quien escribe las notas, pero aun así, disfrutarán de tu atención. También puedes intercambiar nombres con la familia y pedir que cada cual haga algo agradable para su persona designada.

Cuando mis hijos eran pequeños, los admiraba en secreto enviándoles postales firmadas como «El amigo invisible», y no revelaba mi identidad a menos que fuera absolutamente necesario. Cuando mandaba las postales, escribía una dirección de remitente distinta en el sobre para ocultar mi identidad. Les encantaba aquella atención especial.

Rhonda Lennon, recepcionista médica
y directora de Tupperware

Periódico de cumpleaños

Nunca es demasiado tarde para empezar a coleccionar los periódicos de los cumpleaños de tus hijos. Les gustará echar la vista atrás y leer lo que sucedía en el mundo en aquellos días tan especiales.

Mi madrastra me dio un ejemplar del periódico del día en que nació mi hija. Me encantó tanto leerlo que decidí guardar los periódicos de su cumpleaños durante los nueve años siguientes. Incluso ahora, le gusta mirar los anuncios de años atrás y descubrir hasta qué punto han cambiado las modas. Con mi hijo estuve mucho más ocupada, de manera que se ha perdido unos cuantos años.

Madre y escritora

Discutir citas célebres con los hijos

Expón a tus hijos a una amplia variedad de pensamientos leyendo citas de diferentes culturas y períodos históricos. Pregúntales qué creen que significa.

Me encantan las citas. A menudo preparaba una hoja entera de citas para la hora de cenar. Leía una y pedía a mis hijos que adivinaran el año, autor, los sucesos importantes de la época y cómo se aplicaba su significado a nuestra vida. Introducíamos a los niños en la gran conversación de la humanidad. Una de sus citas favoritas era de Lao Tsé, maestro de Confucio: «El genio consiste en ver las cosas desde la semilla».

Dottie Walters, conferenciante internacional y presidenta de Walters Internacional Speakers Bureau

Salvapantallas

Utiliza el salvapantallas de tu ordenador para transmitir palabras e imágenes estimulantes a tus hijos. Importa fotografías de los niños a modo de tapiz o escribe un mensaje cariñoso en la opción de texto del salvapantallas. Si no sabes cómo hacerlo, pídeles que te lo enseñen. Estarán encantados de demostrar sus habilidades informáticas.

Utilizo la opción de texto del salvapantallas de nuestro ordenador para enviar notas especiales a mi hijo, tales como «¡Excelente cartilla de calificaciones!», «¡Feliz cumpleaños!», «¡El jugador número uno de fútbol!», etc. Siempre está esperando que cambie un mensaje para leer el siguiente.

Marie Meador, directora de 4-H Center

Bloc de notas personal

Proporciona cuadernos especiales a tus hijos en los que puedan escribir notas y hacer dibujos relacionados con los sucesos cotidianos. Cuando crezcan, les encantará echar la vista atrás y comprobar cómo mejoraba su caligrafía y su destreza artística. Algunas familias incluyen un diario en la rutina de acostarse.

Cuando mi marido está pescando en Alaska, la comunicación se limita a escasas llamadas telefónicas. De ahí que los niños y yo llevemos diarios de nuestras actividades veraniegas. Cuando regresa, elegimos un día y leemos lo que sucedió. Los diarios nos ayudan a sentirnos unidos como familia. Vivimos de nuevo las experiencias estivales y explicamos a mi esposo cuánto pensamos en él durante su ausencia.

Madre de tres hijos

Mensajes en las tostadas

¡Envía mensajes divertidos a tus hijos usando una tostada a modo de lienzo! Vierte una cucharada de leche evaporada en tres cuencos, añade unas gotas de colorante alimenticio y remueve. (Elige un color diferente para cada cuenco.) Con un cepillo de dientes limpio haz un dibujo o escribe un breve mensaje en el pan. ¡Pon el pan en la tostadora y observa el rostro de tus hijos cuando vean el diseño!

Es difícil motivar a mis hijos para que vayan a la escuela los lunes por la mañana durante los sombríos meses de invierno. Para contrarrestar la tristeza invernal tenemos una tradición. Cada lunes escribo mensajes en su tostada y la corto en formas divertidas con moldes de galletas.

Madre y bibliotecaria

Enseñar a los niños a enviar cartas

Además de utilizar el correo electrónico, deberías enseñar a tus hijos a escribir cartas como un método para mantenerse en contacto con los miembros de la familia que viven lejos de tu lugar de residencia. Empieza con los abuelos, pues acostumbran a responder con rapidez y entusiasmo. Se sentirán muy emocionados cuando descubran que hay correspondencia para ellos en el buzón.

A mis dos hijos de cinco y siete años les encanta recibir correo. Con frecuencia se sientan, hacen dibujos en postales en blanco y las mandan a amigos y familiares. No suelen tardar más de una semana en recibir correspondencia personal.

Elizabeth Donnenwirth, ilustradora

Hacer juntos las tareas escolares

En lugar de enviar a tus hijos a su dormitorio para hacer los deberes, siéntate junto a ellos en la mesa de la cocina o en la sala. (Asegúrate de apagar el televisor.) Revisa la correspondencia, los extractos bancarios o ponte a leer tranquilamente mientras ellos resuelven los problemas de matemáticas o estudian sociales. Verán que te concentras activamente en tus proyectos domésticos y estarás junto a ellos cuando necesiten ayuda.

Mis dos hijos se sientan en la mesa para hacer sus tareas escolares. Mi esposo y yo pasamos un rato junto a ellos, casi siempre leyendo. Transcurridos unos quince minutos aproximadamente, nos marchamos, pero por aquel entonces los niños ya se han enfrascado en su rutina y están concentrados en sus estudios.

Madre trabajadora autónoma

Los niños escriben sus libros

A los niños, sobre todo cuando están empezando a aprender a leer, les gusta mucho leer libros por sí solos. Anímalos a escribir historias relacionadas con su vida. Muéstrales unas cuantas fotografías personales y diles que empiecen a imaginar un relato. Escribe sus palabras o graba la narración y luego escríbela. Utiliza las fotos a modo de ilustraciones. Se sentirán orgullosos de haber escrito sus propios libros.

Una vez al año, elijo un día especial para tomar fotografías de mi hijo jugando con el perro, lavándose los dientes, montando en bicicleta, etc. Usamos las fotos para hacer un libro llamado «El día ocupado de Jordan». Hasta la fecha, tenemos seis «Días ocupados». Es divertido volver la vista atrás y ver cómo han cambiado sus actividades diarias a lo largo de los años.

Madre y maestra

Tablón de anuncios familiar

Ayuda a tus hijos a confeccionar un tablón de anuncios familiar. Compra uno o reserva un espacio en el frigorífico como tablón para los mensajes de los miembros de la familia. Es probable que los padres escriban la mayoría de las notas, pero no te extrañe encontrar de vez en cuando algún mensaje de un hermano a otro. Por norma, todas las notas deben ser positivas. El elogio y la atención que recibirán tus hijos contribuirán a desarrollar su autoestima.

Compré un tablón de anuncios rojo y lo colgué en la sala. Mi marido y yo empezamos a escribir cosas tales como «Inspeccionar el bebedero del pájaro. Melissa hizo un trabajo excelente limpiándolo y llenándolo de agua». A nuestros hijos les encanta el reconocimiento público de sus esfuerzos.

Mamá y profesora de piano

Arte portátil

He aquí una forma extraordinaria de preservar y hacer publicidad de los dibujos y notas de tus hijos. Reúnelos todos y llévalos a una tienda de fotografía para que los fotografíen en papel de transferencias. Luego podrás crear camisetas o edredones planchando la transferencia sobre la tela. A los niños les gustará muchísimo ver sus obras de arte en tu camiseta.

No hace mucho revisé los dibujos de cuando mis hijos eran pequeños y seleccioné los que más me gustaban. Luego los usé para confeccionar edredones exclusivos para mis dos hijos.

Michal Handy, conductor de autobús escolar

Documentar el desarrollo de los niños

Documenta el progreso de tus hijos a medida que van aprendiendo nuevas técnicas. Cuando sean mayores, podrán ver cómo era su incipiente caligrafía. Asimismo, pídeles que dibujen autorretratos anuales para poder catalogar su desarrollo artístico.

Fotografiamos a nuestras hijas mientras cocinaban y utilizaban dibujos a modo de cubiertas para sus recetarios de cocina personales. Cada vez que una de ellas aprendía una nueva receta, la añadíamos al recetario. Cuando las niñas empezaron en el instituto, ambas disponían de una asombrosa colección de recetas de eficacia probada. Era divertido comprobar cómo aumentaba su complejidad, desde sus primeros huevos revueltos hasta sabrosas tartas de queso.

Laurie Keleman, ex maestra

Elogio creativo

Sé creativo a la hora de reconocer los logros de tus hijos. En lugar de darles pegatinas o dulces, busca formas únicas de enaltecer sus éxitos.

Cada verano transformamos una pared de la casa en la «pared de la lectura». El año pasado dibujamos un árbol y los niños pintaron una hoja por cada libro que leyeron. Este verano hemos transformado la pared en un cielo, y los pequeños han dibujado cometas, pájaros y aviones por cada libro que han leído. Cada semana o dos durante los meses estivales tomo fotografías de mis hijos de pie junto a la pared, para que, al acabar el verano, puedan ver lo que han realizado. Se han convertido en grandes lectores.

Kathy Moreno, ama de casa y madre de tres hijos

Lista de cualidades

Hacemos listas para todo: supermercado, productos de limpieza, encargos, etc. ¿Por qué no enumerar las maravillosas cualidades que demuestran a diario tus hijos? Diles que consulten la lista una vez por semana para recordar cuán especiales son.

Ayudamos a nuestro hijo a confeccionar una lista de quince cosas que le gustaban de sí mismo, animándolo a centrarse más en las cualidades personales que en los logros. De este modo, aprendió que el valor personal procedía de su interior. Intentamos recordarle a diario estas maravillosas cualidades.

Ed Kania, director de servicios empresariales

Autógrafos de famosos

Intenta conseguir autógrafos de las figuras deportivas
o personajes famosos favoritos de tus hijos. Muchos
autores de libros infantiles responden favorablemente
a las solicitudes de autógrafos. Busca su dirección en
Internet y envíales una carta, incluyendo un sobre
timbrado para obtener una rápida respuesta.

*Cuando Trina tenía diez años quería interpretar el papel
principal de* Annie *en Broadway. Iba de un lado a otro de
la casa cantando «Tomorrow» a todas horas. Escribí una
carta a la pequeña que interpretaba el papel de Annie por
aquel entonces y ella le mandó dos postales de Navidad
personalizadas y una breve nota. Fueron el mejor regalo
navideño que podía recibir mi hija aquel año.*

Silvana, madre de dos hijas

Compartir los logros de los hijos

Comparte con tus amigos y familiares las excelentes calificaciones académicas de tus hijos y sus obras maestras artísticas. Envuelve un regalo de cumpleaños de abuela con los dibujos pintados con los dedos de tu pequeñín preescolar. Confecciona postales de felicitación con las pinturas a la acuarela de los niños o escribe cartas a la familia en el dorso de sus exámenes de lengua. Todos disfrutarán de la atención personalizada, sobre todo tus hijos.

A mi hija Alison, de ocho años, le encanta escribir. Hace algún tiempo, solía coleccionar algunos de sus trabajos favoritos y enviarlos a nuestros parientes lejanos. Recibía innumerables comentarios de enhorabuena de sus abuelos, tíos y tías.

Nancy Keene, escritora

Incentivos tangibles

A menudo, los niños necesitan un refuerzo específico que les recuerde los pasos que han superado hasta conseguir un objetivo. Averigua qué tipo de programa de incentivos da mejores resultados para tus hijos.

Cada uno de nosotros tenía una cartulina con quince huellas de pisada. Cuando hacíamos algo meritorio, nuestros padres nos permitían rellenar una. Quien conseguía completar quince, podía decidir cuál sería la siguiente actividad familiar. Solíamos elegir una película, la bolera o el minigolf. Era algo muy especial poder elegir la actividad familiar.

Staci Schuerman, estudiante universitaria

Contratos infantiles

Para cuestiones importantes tales como la asignación, podrías considerar la posibilidad de redactar contratos con tus hijos. Si ahorran dinero para el campamento, confecciona una lista de tareas que deberían realizar y cuánto les pagarás por cada uno de ellos. Incluye programas de incentivos para obtener dinero extra o determinados privilegios. Las instrucciones específicas dan a los niños un sentido claro de lo que se espera de ellos.

Mi hija quería un aumento en su asignación, de manera que establecimos un período de prueba de cuatro semanas durante el cual podría realizar tareas extra y ganar un dinero adicional. El contrato estipulaba sus deberes normales, las consecuencias de su negligencia, las tareas complementarias y las cantidades que percibiría. Funcionó a la perfección y me ahorré la necesidad de tener que insistir constantemente para que realizara su cometido.

Madre y auxiliar administrativa

Correo electrónico

Mantente en contacto con tus hijos a través del correo electrónico. Si tienes acceso a ordenadores e Internet, resulta increíblemente fácil y divertido. Muchas escuelas permiten que los niños tengan su propia cuenta de correo electrónico. Envía sencillas felicitaciones o usa alguna de las postales de dominio público que puedes encontrar en la red. Incluso quienes se muestran reacios a escribir cartas suelen divertirse con el e-mail.

Mando e-mails a mis hijas en la escuela. Constituye una forma extraordinaria de decir: «Hola» y de demostrarles que pienso en ellas. ¡Lo que más me gusta es recibir sus respuestas!

Teri Bodensteiner, enfermera diplomada

Escribir notas a los hijos

Escribir notas y cartas a tus hijos es una forma
extraordinaria de comunicarles tu amor. De este modo,
podrán releer los mensajes varias veces. Incluso es posible
que las guarden en un cajón y que las saquen de vez en
cuando para mirarlas. Las cartas siguen siendo una forma
excelente de decir «te quiero».

*Cuando volví a trabajar a jornada completa, me
acostumbré a enviar notas especiales a mis hijos
en la bolsa de su almuerzo tres veces por semana.
Mi hijo mayor tiene trece años y le encantan,
aunque no se las lee a sus amigos. Sin embargo,
descubrí que éstos han pedido a sus madres
que también les escriban notas.*

Barbara Davidson, superintendente de ocio

Afrontar los desafíos con coraje

Proporcionar estrategias de aprendizaje concretas

Facilita el aprendizaje de tus hijos proporcionándoles consejos prácticos cuando estén adquiriendo nuevas técnicas. Por ejemplo, podrías decir a tu hijo: «Aprender este texto para la obra de teatro lleva mucho esfuerzo. ¿Te gustaría que te ayudara a ensayarlo después de la cena? A veces es más fácil memorizar un texto si alguien hace de apuntador». A menudo, los niños se sienten abrumados por las tareas nuevas y complejas. Ayúdales enseñándoles formas eficaces de aprender.

Mi hijo se sentía frustrado con el adiestramiento para el cuarto de baño, de manera que hice una bolita de papel higiénico, lo tiré al inodoro y le dije: «Apunta y haz diana». ¡Dio resultado!

Marilyn Lampman, conductora de autobús

Enseñar a los niños a pensar «fuera de la caja»

Enseña a tus hijos a pensar creativamente intentando resolver problemas o tomar decisiones. Anímalos a buscar métodos alternativos o a manejar situaciones que supongan un reto.

Cuando mis hijos eran pequeños les encomendaba cacerías creativas para encontrar objetos tales como «sillas de ratón» o «sombreros de gnomo». Usaban el ingenio para descubrir cosas que les ayudaran a producir el objeto solicitado. Nunca había una respuesta negativa, de manera que el juego siempre potenciaba su autoestima y les ayudaba a resolver problemas de formas creativas.

Marjorie Crum, diseñadora gráfica

Echar una mano

En ocasiones, todo lo que necesitan los niños para seguir intentando algo hasta triunfar es un poco de ayuda. Elige juiciosamente el momento y la cantidad de tu intervención en función de la personalidad de tus hijos, y proporciónales el espacio suficiente para identificar y superar sus problemas, interviniendo sólo cuando sea necesario.

Mis hijos de tres y cinco años de edad permanecieron sentados en un puesto de limonada durante varias horas y sólo consiguieron quince centavos. Así pues, di un dólar a unos cuantos niños más mayores del vecindario para que compraran limonada y dejaran una propina. Los mayores accedieron encantados y mis hijos emocionados por haber ganado un dólar.

Director de escuela elemental

Fomenta la resolución de problemas

Enseña a tus hijos a hacer limonada con limones. Los investigadores dicen que la gente que busca activamente soluciones a sus problemas tiende a ser más optimista. Cuando los niños tengan que enfrentarse a situaciones desagradables, enséñales lo que deben hacer para no lamentarse y obtener resultados.

Hace algunos años nos mudamos a Oregón para empezar un nuevo negocio, y nuestra hija Carrie tuvo que ir a una nueva escuela. Por aquel entonces, no podíamos permitirnos el lujo de comprar las cajitas de moda para el almuerzo que llevaban los demás niños, de manera que opté por dibujar personajes de dibujos animados a todo color en sus bolsas. No pasó mucho tiempo antes de que sus compañeros desearan que les hiciera un dibujo en las suyas. La nueva niña se integró al instante en el colectivo.

Trish Henifin, conductor de autobús escolar

Modelar una autoestima sana

Demuestra un comportamiento que refleje tu sana autoestima. Asiste a nuevas clases, comparte los libros que estés leyendo, explica a los niños cómo afrontaste una situación difícil con un amigo, etc. Predica con el ejemplo y tus lecciones tendrán un efecto aun mayor si cabe en tus hijos.

A menudo me recuerdo que autoestima y alta autoestima no son lo mismo. Necesito tener una alta autoestima para ayudar a mis hijos a desarrollarse. Así pues, siempre estoy haciendo cosas que potencien mi autoestima. Es contagioso.

Tom Lagana, coautor de Chicken Soup for the Prisoner's Soul

Primero, escuchar

Cuando tus hijos se porten mal o desobedezcan, dales la oportunidad de explicarse. Escucha atentamente lo que dicen y utiliza la situación como una experiencia de aprendizaje. Eso también te dará una oportunidad de reunir tus pensamientos y mantener controladas tus emociones. Recuerda: disciplina significa «enseñar». Nuestra tarea como padres consiste en enseñar con amor a nuestros hijos para que aprendan de sus propios errores.

En mi vida personal y profesional he aprendido que los niños necesitan a alguien que escuche su versión de la historia y que admita que hoy en día es difícil crecer.

Teresa Huggins, madre, maestra y consejera

Evita el apresuramiento

Intenta pasar un día completo sin decir: «¡Vamos, daos prisa!» a tus hijos. Enséñales a organizar su tiempo y a aceptar las consecuencias de llegar tarde. La gestión temporal es una valiosa técnica en la vida que en ocasiones se aprende mejor desde la vertiente más dura.

Establecí una rutina en la que mi hija elegía sus prendas de vestir y organizaba su mochila cada noche. Por la mañana, le advertía que faltaban cinco minutos para salir hacia la escuela. Al agotarse el tiempo, me dirigía hacia el automóvil, montaba en él y me ponía a leer un libro. Los días en los que llegaba tarde, tenía que explicarme el motivo de su tardanza. Aceptó bien el desafío y ahora controla su tiempo a la perfección.

Madre y diseñadora textil

Enseñar a imitar estrategias con eficacia

Enseña a tus hijos estrategias para afrontar situaciones que les parezcan estresantes. Si otros niños se burlan de ellos en el autobús, deberán aprender diversas formas de tratar el comportamiento negativo. Por ejemplo, procura que memorice frases para utilizar en situaciones difíciles. Les dará confianza bajo presión.

En las reuniones familiares un primo mayor que mi hijo solía importunarlo reiteradamente, de manera que ensayamos unas cuantas cosas que podría decir cuando su primo se burlara de él. En las Navidades siguientes, las burlas se reiniciaron. Mi hijo estableció contacto visual directo y utilizó una de las declaraciones que habíamos planificado. Su primo quedó tan asombrado ante aquella respuesta que optó por dejarlo en paz.

Enfermera y madre de gemelos

Enseñar responsabilidad económica

Cuando creas que tus hijos son lo bastante mayores,
introdúcelos en la situación económica familiar.
Muéstrales cuánto cuesta la electricidad, el teléfono,
la recogida de basuras, el alquiler o la hipoteca. Ofréceles
una experiencia de gestión monetaria siempre que sea
posible. Por ejemplo, pídeles que confeccionen una breve
lista del supermercado y que elijan artículos que no
superen una determinada cantidad.

*Cuando nuestra familia salió de vacaciones, dimos cierta
cantidad de dinero a cada niño para gastos diarios.
Al principio, pensaron que era una fortuna, pero pronto
descubrieron cuán rápidamente se esfumaban con el
hotel, la comida, los souvenirs y los tentempiés. Aquella
experiencia les sirvió para adquirir una mayor conciencia
de los precios.*

Padres cuidadosos con el dinero

Respetar las reacciones infantiles frente a la muerte

Honra los sentimientos de tus hijos tras la muerte de un pariente, amigo o mascota. Los niños no se lamentan de la misma forma que los adultos, pues les resulta difícil comprender el concepto de la muerte.

La abuela de mis hijos falleció el día de su cumpleaños y toda la familia celebró una ceremonia especial en el patio donde cantamos «Cumpleaños feliz» y soltamos globos de helio. Cuando los niños vieron los globos volando, creyeron ver a su abuelita recogiéndolos en el cielo. Fue una ocasión muy especial para todos.

G. Coldwell, propietario de una pista de patinaje

Tratamiento especial

Cuando tus hijos estén enfermos, dedícales una atención muy especial. Si no les apetecen los alimentos sólidos, prepárales un zumo de frutas y sírveselo en un vaso original. Dales una pequeña campana para que la hagan sonar cuando necesiten algo.

Cuando mi hija Ayla estuvo enferma, su padre le contó cómo su madre solía frotarle Vicks en el pecho y los pies cuando estaba malita. Busqué por toda la casa durante una hora y media y por fin encontré un pequeño bote de Vicks medio vacío. Después de frotarle el pecho y de hacerle un masaje en los pies dijo: «Aún tengo frío, me cuesta respirar y me duele la cabeza..., pero mis pies están mucho mejor. ¡Gracias, mamá!».

Gloria Barber, comerciante

Elogiar el trabajo esforzado

Cuando tus hijos lleguen a casa con las calificaciones escolares, celébralo por todo lo alto. Aun en el caso de que no sean todo lo buenas que cabría desear, siempre puedes aplaudir los progresos realizados en ciertas áreas. Destaca la importancia de hacer las cosas lo mejor posible. Para algunos niños, los «excelentes» son fáciles de conseguir, pero otros tienen que esforzarse muchísimo para obtener buenas calificaciones. Elogia sus esfuerzos y sus logros.

Cuando nuestros hijos trajeron a casa sus cartillas escolares, fuimos a un restaurante familiar que tenía una máquina de «prepárese usted mismo el helado». Les dejamos comer todo el helado que quisieron sin poner reparos. Si había que mejorar las calificaciones, se discutió más tarde.

Mamá y técnica de laboratorio

Fomentar el comportamiento independiente

En ocasiones, fomentar el comportamiento independiente de nuestros hijos puede resultar una tarea compleja. A menudo tenemos que ayudarles a atarse los zapatos o a prepararse la merienda en lugar de esperar que lo hagan por sí solos. Pero los niños necesitan experimentar logros independientes para desarrollar una autoestima sana.

En determinados días de escuela, cuando mi hijo de siete años está en casa y aún falta mucho rato para la cena, le dejo tomar un tentempié a base de sobras del frigorífico. También lo animo a bautizarlo. Desde que lo hace, suele comérselo todo.

Kevin Sullivan, director de campamento

La importancia de ganar dinero

En lugar de comprar compulsivamente los últimos juegos que aparecen en el mercado (tazos, cromos, etc.), procura que se ganen el dinero. Trabajar, presupuestar y ahorrar para comprar juguetes les enseña valiosas técnicas de toma de decisiones.

Dábamos vales de dinero a nuestros hijos, no asignaciones. Cuando querían comprar algo, decíamos: «Veamos de qué modo podríais ganar el dinero». Les enseñamos autoconciencia económica, no a gimotear y pedir. Cuando Mike estaba en el instituto, trabajó como chico de la limpieza en nuestra imprenta. En su primer día, su padre le dio un cronómetro y le dijo que controlara el tiempo que tardaba en hacer cada tarea. Cada vez que lograba hacer algo de una forma más eficaz, tenía un aumento.

*Dottie Walters, conferenciante internacional
y presidenta de Walters Internacional Speakers Bureau*

Inventar
y disfrutar
las ocasiones
especiales

Celebrar la llegada del recién nacido

Cuando un recién nacido llega a casa, la dinámica familiar cambia drásticamente. Si ya tienes hijos, invítalos a compartir la alegría de este nacimiento, es decir, la misma que sentiste al nacer ellos. Habla de las técnicas y privilegios que han adquirido tus hijos con los años y del largo camino que deberá recorrer el nuevo bebé.

Al nacer mi tercer hijo, envié dos cestas de flores a la escuela elemental a la que asistían mis hijos mayores. Deseaba felicitarles por el nacimiento de su nueva hermana.

Lori Tomenchok, maestra

Toques creativos

Usa la creatividad cuando celebres las ocasiones especiales de tus hijos. Coloca velas en sus pastelitos, oculta cartas en sus deberes o escribe «Feliz cumpleaños» con rotulador lavable en el espejo de su cuarto de baño.

A nuestros hijos les gusta muchísimo la tradición familiar de ir a recogerlos a la escuela el día de su cumpleaños. Al llegar a casa, pulsan el dispositivo de apertura de la puerta del garaje para descubrir que he colgado papel de crepé y ristras de globos en el ángulo inferior interior de la puerta. Les encanta ver aparecer los signos y decoraciones de colores cuando se abre. Luego entramos a través de la cascada de decoraciones festivas.

Artista y madre de tres hijos

Mantel de cumpleaños

Diseña un mantel de cumpleaños para tu hijo pegando dibujos y recuerdos del año anterior sobre un trozo de cartulina de colores. Incluye fotos, entradas de eventos deportivos u obras de teatro escolares, etc. Reviste el mantel con plástico adhesivo o llévalo a una imprenta para que lo laminen profesionalmente.

Tengo un sobre especial de manila para cada uno de mis hijos. Los utilizo para guardar fotografías divertidas, cartillas de calificaciones, dibujos, esbozos, entradas y un sinfín de objetos personales. Cuando se aproxima el cumpleaños de uno de ellos, confecciono un collage con el contenido del sobre correspondiente, a modo de mantel. En la actualidad tenemos una magnífica colección de recuerdos infantiles en forma de mantelitos de cumpleaños.

Madre de tres hijos

Dejar que los niños planifiquen las fiestas de cumpleaños

Como padres, a menudo asumimos la responsabilidad de planificar las fiestas de cumpleaños de nuestros hijos. Sin embargo, a medida que los niños se hagan mayores, permíteles que asuman un papel más decisivo a la hora de decidir lo que se va a hacer. Dales algunas directrices y préstales tu ayuda cuando la necesiten, pero déjales que tomen las decisiones importantes y procura ceñirte a ellas al máximo.

Nuestra hija Kelly nos ayudó a planificar una «cacería en el supermercado» para su cumpleaños. Invitó a sus amigos y le dimos el dinero necesario para realizarla. Los niños compraron todo lo que necesitaban para organizar la merienda. Les gustó muchísimo poder disfrutar de la independencia necesaria para decidir lo que debían comprar para su fiesta.

Sandy Thoma, terapeuta matrimonial y familiar

Anunciar los acontecimientos especiales de los hijos

Utiliza los anuncios clasificados del periódico o la sección de sociedad para anunciar los acontecimientos importantes en la vida de tus hijos. A menudo se puede incluir una fotografía por un módico precio. Rodea el anuncio con un círculo en rojo y pídeles que echen un vistazo a los clasificados. Les emocionará descubrir su nombre en letra de imprenta. El coste suele ser reducido, pero el impacto es extraordinario.

Dos veces al año celebramos los logros de nuestro hijo insertando un anuncio en la sección de varios del periódico. Los dos anuncios anteriores decían lo siguiente: «Michael, estamos orgullosos de tu trabajo para el examen de matemáticas» y «Gracias por ayudar al abuelo a construir su cobertizo para las herramientas». Ver sus esfuerzos reconocidos sobre papel le hace sentir especial.

Papá y ebanista

Celebrar los logros

Reconoce a tus hijos su esfuerzo por intentar nuevas cosas. Celebra con globos y serpentinas las audiciones de tu hija en las obras de teatro escolares, las competiciones deportivas de tu hijo o cuando tu hija cocine sus primeros huevos revueltos.

Suelo comprar globos y otros artículos de fiesta, pues me gusta tener a mano una buena colección de accesorios para celebrar los logros de mi hijo. Recientemente celebramos su primer intento de subirse a un árbol y que concluyera con éxito su cursillo de natación. ¡Incluso lo celebramos cuando nuestro cachorro aprendió a hacer sus necesidades en el jardín!

Madre y auxiliar administrativa

Plato especial

Busca una placa distintiva para tu hijo que conmemore las ocasiones especiales. Por ejemplo, cuando domine las tablas de multiplicar o ayude a un niño nuevo en la escuela, puede disfrutar del privilegio de comer con el plato especial.

No hace mucho, nuestra familia visitó algunos anticuarios con la intención de encontrar un plato divertido. Tenemos un sentido del humor bastante particular, de manera que optamos por un plato que llevaba grabado un gallo patinando sobre ruedas. Cuando nuestros hijos obtienen un diez en un examen, comen con el plato del gallo. ¡Incluso dejamos que el abuelo comiera en él en una ocasión, cuando se colocó la nueva dentadura postiza!

Madre de tres hijos muy revoltosos

Opciones para la fiesta de cumpleaños

Ofrece varias alternativas a tus hijos al planificar sus fiestas de cumpleaños. A menudo, los niños dan por supuesto que sólo se pueden celebrar fiestas tradicionales. Piensa en otras posibilidades, tales como ir al cine con los amigos, organizar un desayuno de cumpleaños o disfrutar de una fiesta en la piscina. Un niño de nueve años pidió a sus invitados que trajeran comida enlatada en lugar de regalos.

Decidí dar un giro a la tradicional fiesta de cumpleaños de «Dulces dieciséis». Mi madre me ayudó a planificar una fiesta «Amargos dieciséis». El menú incluía pollo agridulce, pepinillos, patatas fritas con salsa picante y cebolletas, pastel de limón y sorbete de limón. Fue todo un éxito.

Anya Rose, aspirante a científica

Tradiciones familiares cotidianas

Las actividades regulares se pueden convertir en ocasiones especiales cuando se establecen tradiciones exclusivas para destacarlas. Lee cuentos a la hora de acostarse a la luz de una linterna una vez por semana o cocina pastelitos de canela los sábados por la mañana mientras todo el mundo hace sus tareas en casa.

Cada sábado por la mañana, mientras mi hija era pequeña, mi esposo me dejaba dormir mientras disfrutaba de un tiempo especial con Brie. Se levantaban temprano y se iban al McDonald's. Brie pedía su desayuno, además de una taza de café y una naranjada pequeña para mi marido, que le daba el dinero necesario para pagar. La experiencia le proporcionaba la confianza necesaria para hablar con desconocidos y la oportunidad de ser escuchada a una tierna edad.

Gay Fakkema, supervisor de operaciones

Celebrar el primer día de escuela

El primer día de cada año escolar merece ser celebrado. Los niños suelen estar excitados y reina un extraordinario frenesí en la atmósfera, pero aun así intenta reservar el tiempo necesario para disfrutar de un desayuno festivo. Algunos padres ponen la mesa con una vajilla especial para realzar las festividades. Demuestra a tus hijos cuánto valoras la educación colocando notas de ánimo en su bolsa del desayuno.

Cada vez que uno de nuestros hijos empezaba a ir a la guardería, plantábamos un árbol especial. El primer día de cada año escolar les sacábamos fotos frente a su árbol. Es divertido volver la vista atrás y descubrir cuánto han crecido los niños y los árboles.

Michal y Frank Hardy, conductores de autobús escolar

Fomenta las actividades sociales

Ayuda a tus hijos a planificar eventos que incluyan a otras personas. Anímalos a compartir actividades con la familia y los amigos. Cualquier momento es bueno para organizar una fiesta o instaurar una nueva tradición familiar.

Durante los años de educación elemental de mis hijos invitábamos a los niños del vecindario a una fiesta de las «escenas nevadas» cada invierno. Mi esposo diseñaba veinticinco bandejas de cartulina y papel de aluminio. Los pequeños las revestían con montículos de «nieve» que yo misma batía con Ivory Flakes. Luego, los niños decoraban sus escenas «invernales» con ramitas, guijarros, animales recortados y espejos para los estanques. Aquellas fiestas nos proporcionaron un sinfín de tiernos recuerdos.

Maxine Clark, maestra de tercer grado

Experiencias como regalos de cumpleaños

Celebra el cumpleaños de tus hijos proporcionándoles experiencias memorables en lugar de caros regalos. Globos al pie de la cama, una tarta de cumpleaños para el desayuno o un pequeño regalo escondido en la mochila contribuyen a que el día sea realmente especial a un coste muy reducido.

Cuando mis hijos celebran el cumpleaños, les organizo un día completo, procurando que todo gire a su alrededor (dentro de lo razonable). Lo que más les gusta son los viajes con estancia nocturna fuera de casa que les permiten explorar alguna de sus aficiones. A mi hijo, por ejemplo, le encanta el arte y los inventores, de manera que lo llevé a una exposición sobre Leonardo da Vinci. Nos alojamos en un motel.

Patsy Zettle, madre de cuatro hijos

Las tradiciones son importantes para los niños

Recuerda lo importantes que son las tradiciones familiares para tus hijos, incluso cuando son mayores.

Cuando nuestras hijas eran pequeñas, iniciamos la tradición de hacer recorridos de hilo por Pascua. Aubri y Brooke cogían el extremo de un largo trozo de hilo y poco a poco iban enrollándolo por debajo de mesas y sillas hasta llegar a sus cestas de regalos. El año pasado, mi marido y yo hicimos planes para salir fuera de casa en Pascua. Las niñas, que tenían veintiuno y veinticuatro años, y que ya no vivían en el hogar familiar, se quejaron de que aquél sería el primer año sin los recorridos de hilo. Así pues, lo dejamos todo preparado antes de marcharnos y les dijimos que vinieran a casa en Pascua para encontrar sus cestas.

Laurie Keleman, piloto de avión

Tradiciones con creatividad

Las tradiciones son importantes, pues dan a los niños un sentido de ritual y estabilidad. Siempre que sea posible, muestra tu lado creativo haciendo las cosas de modo algo diferente. Las variaciones divertidas pueden hacer que las tradiciones sean aun más significativas si cabe para tus hijos.

Recuerdo unas Navidades cuando mi hija Lauren tenía cinco años y Sheraton acababa de construir un nuevo hotel en Seattle. Las pasamos allí, disfrutando del servicio de habitaciones y del buffet festivo. Ahora, Lauren tiene veinte años, pero aún suele hablar de aquellas Navidades.

Deborah Collins, operadora de multipropiedad

Fiestas espontáneas

Para la mayoría de los niños, el mero hecho de servir tarta y helado constituye una auténtica fiesta. La próxima vez que veas un pastel, cómpralo y busca un motivo de celebración. Podrías mostrárselo a tus hijos y decir: «¡Vamos a buscar una razón para organizar una fiesta!».

Nuestro supermercado dispone de un estante con productos de pastelería. No hace mucho, descubrí una tarta muy bien decorada al precio de doce dólares con «Felicidades Dan» escrito en ella. Mi marido se llama Dan, de manera que lo compré. Aquella noche, los niños y yo confeccionamos una lista de todas las cualidades positivas y le felicitamos por ser una persona tan extraordinaria.

Lisa Mckinnell

Celebraciones festivas únicas

Cuando celebres una fiesta, procura introducir un significado especial a la ocasión. No temas desviarte de las rutinas comerciales tradicionales. Halloween puede ser un buen momento para disfrazarse y recoger caramelos, pero también para recaudar dinero para UNICEF.

Cada Semana Santa los miembros de nuestra familia escriben individualmente diez cosas que valoran de cada uno de los demás. Pedimos a los niños que sean sinceros. Han escrito cosas como: «Me gusta tu sentido del humor» y «Me ayudas cuando me siento mal». Cuando nuestro adolescente recibe sus listas, se muestra mucho más agradable durante algunos días. Me encantan las listas, y a mi familia también.

Patricia Hooley, educadora

Regalo sorpresa

Sorprende de vez en cuando a tus hijos con un regalo
o experiencia extraordinaria.

*Cuando mis hijos tenían tres y ocho años, pasamos un
increíble fin de semana juntos mientras mi esposa había
ido a visitar a unos amigos. Les dije que iría a casa de un
amigo a jugar a las cartas y que deberían acompañarme.
La idea no les entusiasmó. En secreto, había comprado
tres entradas para un concierto de Michael Jackson, del
que eran superfans. Montamos en el coche y nos pusimos
en marcha. A medida que nos aproximábamos al lugar en
el que iba a actuar Michael Jackson empezaron a rugir. Lo
pasamos genial. Ambos lo consideran el mejor momento
de su infancia.*

*Doug Stadtmiller, director de una pista
de patinaje sobre ruedas*

Decoraciones especiales de cumpleaños

A muchos adultos les asusta la idea de enfrentarse a otro cumpleaños, pero lo cierto es que los niños siempre están pensando en sus días especiales. Les encantan las fiestas, los regalos y las tartas. Ofréceles un inicio memorable decorando su habitación mientras duermen. Algunas familias lo celebran despertando al niño que cumple años cantándole «Cumpleaños feliz».

La noche antes del cumpleaños de mi hija decoro la casa mientras duerme. Se despierta envuelta en globos, flores y serpentinas.

Madre y economista

Enseñar respeto por las ocasiones especiales

Anima a tus hijos a valorar formalmente las ocasiones especiales en las que tal vez no estén implicados directamente. Pide su consejo a la hora de comprar un regalo para la abuela en el día de la madre o sugiéreles que envuelvan el regalo de graduación de un primo. Puedes enseñarles importantes técnicas sociales procurando que presten la debida atención a lo que sucede en la vida de los demás.

Siempre informo a mis hijos acerca de las graduaciones de sus parientes, bodas y otros acontecimientos especiales. Aunque no tengan una relación frecuente con el primo que celebra un cumpleaños, me gusta que valoren las reglas de la etiqueta.

Samantha Billings, enfermera

Explicar el significado de las fiestas

Explica a tus hijos la historia de donde procede cada fiesta. Cuéntales cómo celebrabas Hanukkah o Navidad cuando eras pequeño. Si el abuelo o la abuela celebran su cuadragésimo aniversario de bodas, procura que los niños comprendan las nuevas familias que se derivaron de su matrimonio. Es muy beneficioso para ellos conocer las razones por las que se celebran las ocasiones especiales.

Cada día de la madre hago un regalo a mis hijos agradeciéndoles haberme hecho mamá.

Christine Koplowitz, madre de cuatro hijos

Invitar a gente especial a un evento ordinario

En ocasiones, un evento ordinario se convierte en extraordinario cuando se invita a alguien especial. Deja que tus hijos inviten a sus amigos o abuelos a los partidos de fútbol o baloncesto.

A mis hijas Bronwyn y Gylany les gustan mucho las fiestas de té, de manera que decidí organizar una fiesta de té superespecial invitando a sus dos abuelas. Las niñas se vistieron con sus mejores vestidos y guantes blancos. Una abuela llegó luciendo un vestido de los años cincuenta de piel de leopardo y unas gafas puntiagudas típicas de la época, mientras que la otra llevaba un atractivo vestido de colores con una estola de zorro. Todos tomamos el té, comimos bocadillos, posamos para sacarnos fotografías y disfrutamos de una tarde inolvidable.

Sandy Ferringer, diseñadora

Añadir emoción a las rutinas diarias

A los niños les encantan las sorpresas. En efecto, un poni constituye una agradable sorpresa, pero existen formas menos caras de añadir emoción a las rutinas cotidianas. Busca formas sencillas, fáciles y económicas de comunicar a tus hijos que son miembros muy valiosos de la familia.

Cuando salimos todos juntos a cenar el viernes por la noche, casi siempre tenemos que hacer cola. Para añadir una pizca de emoción a la situación y divertirnos un poco, reservamos la mesa con el nombre de uno de nuestros hijos. Es genial ver su rostro cuando oyen su nombre anunciado por el altavoz.

Lisa Jimenez, conferenciante profesional